ミヤギフトシ

ミヤギフトシ　物語を紡ぐ

浅沼敬子 編

水声社

序

ミヤギフトシの肩書を一言でいい表すのは難しい。ミヤギは、ニューヨーク市立大学在学中に写真シリーズ《Strangers》（二〇〇五―〇六年）を発表し、以来、写真、映像、インスタレーション・アーティストとして発表をつづけてきた。二〇一七年には、「アメリカの風景」で小説家としての活動も開始する。小説家として、同作を含む自伝的三作を単行本『ディスタント』（河出書房新社、二〇一九年）にまとめる一方、太平洋戦争下に生きた女性たちを描いた「幾夜」（二〇二一年）も発表し、自身とは異なった時代の、異なった性別のマイノリティの物語をも生みだした。「幾夜」が、内容的に二〇一七年の映像インスタレーション《How Many Nights》の関連作と見られるように、ミヤギの小説とアートワークとは内容的に連関している。セクシュアル・マイノリティに対するミヤギの関心は一貫しているが、近年は、迫害されたキリシタンの歴史を想起する《いなくなってしまった人たちのこと／The Dreams That Have Faded》（二〇一六年）のように、さまざまなマイノリティの物語へその関心を拡げているように見える。加えて、ミヤギの場合、出版やアートブックの書店勤務などもその活動の重要な一環といえる。

私がはじめて見たミヤギ作品は《The Ocean View Resort》（二〇一三年）だった。沖縄の離島を舞台とした、時代の異なる二組の男性カップルの音楽を介した交感——もっとも、彼らの淡い関係をカップルというのは憚られるかもしれない。あたかも壁にかけられた写真（静止画）が動きの中に解き放たれるような固定ショットとナレーションの協働に驚いた私は、ミヤギの映像作品の静止画的、写真的側面について書きたいと思った。本書所収の拙稿はその意図によって書いたものである。

二〇一八年、私は、インタヴュアーに町田恵美、コメンテーターに菅野優香の両氏を招いて、ミヤギの上映会とトークイヴェントを開催した（「ミヤギフトシ上映会&アーティストトーク」、二〇一八年一月二十一日、北海道大学総合博物館）。そのイヴェントの記録としてミヤギの資料集をつくろうとしたのだが、構想は長く停滞してしまった。ミヤギの場合、写真、映像、インスタレーション、小説の内容がメディウムの相違だけでなく時間も超越して、しかも変更を加えられながら繰り返される。たとえば二〇一八年の小説「ストレンジャー」は二〇〇五—〇六年の《Strangers》に取材した内容だが、異なった物語が綴られている。さまざまなアイテム、さまざまな登場人物がその都度インスタレーションや物語のなかで組み換えられていくのを目の当たりにして、私は美術史的、カタログレゾネ的資料集という当初の構想に無理があることを悟ったのだった。

停滞の後、私は、ミヤギの作品について幾人かの論者がそれぞれの観点から論じる論集作成へと方針を転換することにした。私自身のミヤギ作品への関心は、既に述べたように、作品の形式的側面にあった。しかしミヤギは、ニューヨークでセクシュアル・マイノリティの諸表現に触れただけでなく、フェミニズムやジェンダー、クイア理論を自らの作品に活かしてきた理論的アーティストである。加えて、小説家でもある。そこで、美学、美術史学だけでなく、クイア理論を専門とする文学研究者を探そうと考えた。美学的観点からの書き手として思い浮かべたのが、《花の名前／Flower Names》（二〇一五年）に登場するなどミヤギ作品になかば内側から関わってきた、美学者の星野太氏だった。星野氏による寄稿文「インビテーション」は、氏とミヤギとの友人関係を振りかえりつつミヤギの活動を辿るもので、作品論というよりプロジェクト全体を概観してミヤギ作品の特質を指摘するという、包括的な内容となっている。

ジェンダー、クイア理論については、専門家の菅野優香氏に相談した。岩川ありさ、シュテファン・ヴューラー両氏には、菅野氏のご紹介でご寄稿いただくことになった。岩川氏によるミヤギの小説集『ディスタント』論は、やはり作品分析のスタイルをとらず、自身と小説とのいわば対話のように展開する。そのスタイルは、他者と関わりつつ形成され、変形していく「自己の」記憶やアイデンティティを論じた論の内容と呼応する。岩川氏の論では、「自己」をひらくだけでなく社会を変えていくツールとしてRPG（ロールプレイングゲーム）が措定されているのが印象的だ。ヴューラー氏が取り上げたのは『ディスタント』につづいてミヤギが発表した小説「幾夜」である。同小説のみならず、小説中で登場人物たちを結びつける「オノト・ワタンナ」の小説『A Japanese Nightingale』（一九〇一年）をも詳細に分析するヴューラー氏の論は、その分析が同時に人種的、ジェンダー的ヒエラルキーに対する抵抗、そして未来への希望に向かう点で、どこかパフォーマティヴな一面を持っている。いつ、どのような形態で出版されるのかも読めない企画にご寄稿くださった星野、岩川、ヴューラー三氏に、ご紹介の労をとってくださった菅野氏に、心より感謝申し上げたい。

既述の通り、本書はもともと資料集として構想された。本書後半部には、町田恵美氏によるミヤギのインタヴュー、ミヤギ作品の解説、参考文献表などを収載した。町田氏は、入念な事前準備のうえでミヤギの初期作品についての貴重な情報をひき出してくださっただけでなく、構想段階から相談にのってくださった。出版もアートワークの一環といえるミヤギの場合、収集した文献資料の選別、区別は大変な作業だった。その作業を担ってくださった郡田尚子氏にはただただ感謝している。Yutaka Kikutake Gallery の菊竹寛氏には、情報の提供や確認など直接的、間接的にご協力いただいた。その他、図版キャプションの確認などさまざまなかたちで本書の編集にご協力くださった方々に御礼申し上げたい。

論集である前半の結びにミヤギ自身の文章が収められている。二〇一二年にはじまった「American Boyfriend」の活動を振り返りつつ近年の自身の活動を報じる同エッセイは、同プロジェクトの多彩さを指摘した星野氏の論への応答である。と同時に、初期作品に比重を置いた町田氏によるインタヴューの補完の面も持っている。コロナ禍でダメージを受けつつも、さまざまな力によって排除された人々の存在を物語として紡いでいこうとする同エッセイは、岩川、ヴューラー両氏の論と感応しあっているようでもある。

本書の編集は、水声社の関根慶氏にお引き受けいただいた。氏のご尽力により、ミヤギの希望でもあった木村稔将氏にデザインをお引き受けいただくことができた。私ひとりでは百年かかっても終わらなかったに違いない作業を、美しく、手際よく取り仕切ってくださった関根氏、深い洞察力と豊かな発想力を含み持つ端正なデザインを考案してくださった木村氏には、尊敬と感謝の気持ちでいっぱいである。

既述した通り、ミヤギの作品は、厳密には単体では完結しない。「Y」も「ES」も「千代」も「雪子」も、異なったミヤギ作品に属性を変えながら繰り返し登場し、ゆるやかに物語をつないでいく。それらの連関をすべて辿ることのできる読者あるいは観者は、もしかしたらどこにもいないのかもしれない。私たちが見、読むことのできるのは終わりのない物語の断片に過ぎず、本書に収められたのもその断片に過ぎないのかもしれない。それでも私は思う――断片でもよいのではないか。断片を紡いでいくことこそ、ミヤギの作品とつながることなのかもしれない、と。

浅沼敬子

- 本稿本文ではミヤギフトシ氏のみ敬称を略したが、氏は、多忙のなか本書にエッセイをご寄稿くださっただけでなく、編集作業に惜しみなく協力くださった。心からの感謝をささげたい。
- 本書は、北海道大学大学院文学研究院の一般図書刊行助成を受けて刊行された。

目次

インビテーション

星野太

偽りの友人／False Friend［1］

もう何年も前になるが、わたしが好んで使う英語の言い回しが、非英語圏の人間によくある誤用だと知って驚いたことがある。「I invite you」——これは、たとえば友人と行ったバーやカフェの会計で「ここはおごるよ」と言うときなどに使う。わたしがこの表現をいつごろ知ったのかは定かでないのだが、このあとで述べるような経緯に鑑みると、おそらくフランス語の「Je t'invite」のほうを先に覚えたのだと思う。わたしの知るかぎり、英語以外のラテン系諸語ではしばしばこの言い回し——〈わたしが-あなたを-招待する〉という構文——を「おごるよ」という意味で用いる（スペイン語ならば「Te invito」である）。それゆえにか、ヨーロッパの友人たちは、英語で話すときも「I invite you」という表現を「ここはおごるよ」という意味でごく自然に用いていた。それで、わたしもかれらに倣って時々「I invite you」などと言っていたのだが、げんにそれでこちらの意図が通じなかったことはいちどもなかった。

しかし後から知ったことには、そもそも英語の「invite」に、そうした言外の含みは存在しないらしい。誰かにビールやコーヒーをおごりたいときは、「I'll get it」ないし「It's on me」と言えばよい。英語の「I invite you」はあくまで「あなたを招待する」という意味であり、「ここはおごるよ」という意味ではない。

1 二〇一五年、春の記憶——のちに《花の名前》（二〇一五）として発表されることになる映像作品の撮影のために、ミヤギさんと一緒に京橋、銀座、水天宮前あたりを半日かけて歩いた。その日の撮影後、打ち上げをしたのは銀座ライオンだったか、とにかく二人でビールをしこたま飲んだことを覚えている。そこでわたしが演じたのは、ミヤギさんの旧友である「ESさん」だった。つまりそのときのわたしは、ある意味でミヤギさんの「偽りの友人」だった。この作品は、同年末に始まった「愛すべき世界」（丸亀市猪熊弦一郎現代美術館、二〇一五年十二月二十日—二〇一六年三月二十七日）ではじめて公にされ、翌年の「六本木クロッシング二〇一六」（森美術館、二〇一六年三月二十六日—七月十日）に巡回した。

同じ〈わたしが－あなたを－招待する〉という構文（表現）でも、英語と仏語のそれは置換可能なものではない。こうした類いの言葉を、日本語では「空似言葉」、英語では「偽りの友人（false friend）」という。

招待状／Invitation [2]

ミヤギフトシとの出会いは、一通の「invitation」がきっかけだった。

それは、いまやよく知られた「American Boyfriend」という、このアーティストが継続的に取り組んでいるプロジェクトへの「招待状」だった。日本語なら、あるいはそれを展覧会の「お知らせ」とでも呼ぶべきなのだろう。しかし、木村稔将のデザインによるその美しい印刷物——それは真っ白な手触りのよい封筒に収められていた——は、さながら畏まった、密やかなパーティへの「招待状」のようだった。ひと目見て、そんな印象を抱いたことを覚えている。

同時に、日本語で言うところの「招待」という言葉には、どこか重々しい印象がつきまとう。結婚式の「招待状」などがその典型的なものだが、そこには、当の「招待」を受け取るこちら側の意識を一瞬こわばらせるようなところがある（そんなふうに思うのは、わたしだけだろうか）。そのようなことも考えあわせると、わたしが受け取った「invitation」を「招待状」という日本語に置き換えるのも、

2 二〇一四年、春の記憶——あのとき、なぜあの「招待状」はわたしのもとに届いたのだろう。はっきりとは覚えていないが、あの封筒は、当時のわたしの大学のオフィスに届いたのではなかったか。それ以前にも木村さんとは仕事でご一緒する機会があったので、もしかしたらそちらの縁で送ってもらったのかもしれない。そのあたりの経緯をミヤギさんに尋ねてみたいと思いつつ、今にいたるまで何となく聞けずにいる。

やはり適切ではないかもしれない。

何が言いたいのかというと、わたしがミヤギフトシの作品に対してつねづね抱いている印象は、先に挙げた——誤用としての——「I invite you」に含まれる「invite」のそれに近いということだ。つまり、まったくの他人ではないが、親友とも言えないどこか心地よい緊張感をともなう友人に対して「一杯おごるよ」と言うときのソフトな誘惑を、その作品はいつも湛えている。そこにあるのは、見るものを突き放す凛とした高潔さでも、安易な共感を求める馴れ馴れしさでもない。映像、小説、インスタレーションなど、さまざまな形態をとるミヤギの作品はいつもどこか謎めいているが、その謎は、かれの複数の作品に親しむにつれて次第に明らかになっていくだろう。つまるところ、わたしたちに必要なのは、さまざまな表情をもったひとりの人間に接近するように、その具体的な作品に接近していくことだけである。

待ち合わせ／Rendez-vous[3]

二〇一四年七月、前述の「American Boyfriend」の「invitation」を携えて、わたしは京都を訪れた。ミヤギフトシとはじめて対面したのは、京都・堀川の二会場で行なわれた「American Boyfriend: Bodies of Water」の展示会場でのこと

3 二〇一四年、夏の記憶——これもやはり記憶が曖昧なのだが、七月のあの日、わたしたちはどうして会場で顔を合わせることになったのだろう。わたしが京都に行った日に、たまたまミヤギさんが居合わせていたのだったか。それとも事前に何らかの約束をしていたのだったか。そのあたりの経緯も、当時のメールを探せば明らかになるのかもしれないが、やはり何となく気が進まずにいる。

である。その個展の中心をなしていたのが、堀川団地で展示されていた映像作品《The Ocean View Resort》（二〇一三年）だった。ミヤギの故郷である沖縄を舞台として、現在と過去、日本と米国をまたいだ複数の情景が幾重にも交差する、約二十分の映像作品である。

その一連の物語は、語り手である「僕」が、幼い頃の友人である「Y」と再会するところから始まる。二人の会話は、沖縄にある米軍基地や、かつての戦争にまつわるさまざまなエピソードに及び、その視点も僕からYへ、さらにはそのどちらでもない戦時中の日本兵へとめまぐるしく変わる。ただし、これらの物語はすべて作家その人によって――英語で――朗読されているため、そこに演劇的な要素は微塵もなく、むしろ一篇の短編小説を聞いているような感覚になる。

この《The Ocean View Resort》に典型的であるように、ミヤギフトシの映像作品には、いつもたんなる暗示にとどまることのない明白な物語がある。それが、ミヤギの作品をよくある「映像インスタレーション」から隔てる最大の特徴である。しかも多くの場合、それは一人称の語り手によるヴォイス・オーヴァーのかたちをとる。つまり、その誰とも知れぬ語り手は、画面上にはいっさい登場することなくその物語を淡々と語るのだ。かたやその画面には、物語と何らかの関係がありそうな風景や人物が――しばしば長回しで――映し出される。音楽もまたしかりである。くだんのヴォイス・オーヴァーの背後では、その語りの内容に対応していると思しき音楽がしばしば鳴り響いているが、それが目の前の映像と厳密な意味で同期することはない。

そのように言うと、ひょっとしたらこう思われるかもしれない。つまり《The Ocean View Resort》をはじめとする作品では、ほかならぬ物語こそが支配的であり、肝心の映像と音響は補助的な役割を担っているにすぎないのではないか、と。その後、ミヤギが数篇の中編小説を公にしたこともあり、げんにそのような印象をもっている人は少なくないように思う。だが、これらが小説ではなく映像作品として発表されている以上、そこにある映像や音響といった非物語的な要素を無視するのはおよそ正当ではないだろう。

われわれがここで問題としている事態は、おそらく次のように整理できる。ミヤギフトシの作品は、いつもなんらかの物語に立脚している。それはその通りだ。しかし物語の「語りかた」には、話し言葉や書き言葉といった(比較的)純粋な自然言語によるもの以外にも、さまざまな種類のものがあるはずだ。絵画やドローイングをはじめとする造形言語による語りも、そうした「語りかた」のひとつであるだろう。ミヤギの作品の場合、その中心にあるのは紛れもなく「言語的な語り」なのだが、それが非同期的な映像や音響と照応しあうことで、言語のみに回収されることのない「半-言語的な語り」が可能になっている。

言うなればそれは、言語でも非-言語でもない、半-言語としての映像作品である。

　そして、このような配剤はインスタレーションにおいても同じく可能である。たとえば、グループ展「東京と、タイムマシンと、」(東京、二〇一六年)で発表された《1970》という作品がある。これは、「In 1970, an Okinawan man took hostages in the observation deck of Tokyo Tower...」(=「一九七〇年、ひとりの沖縄人男性が東京タワーの展望台で人質になった」)から始まる三つの英文によるインスタレーションである。その最大の造形的特徴は、これらが赤い毛糸玉で一続きに書かれた文章であることだ。したがって、これは三つの短い文章からなる「言語的な語り」であると同時に、赤い——文面との関係から東京タワーにおける惨劇を連想させる——毛糸玉という、柔らかくも不穏な素材によって示される「非-言語的な語り」でもある。こうした作品を通して明瞭に示されるように、何らかの言語的な物語を枢軸とするミヤギの作品は、言語/非-言語という対立には収まらない「半-言語」の領野を切り拓いている。

座談会／Round Table [4]

物語を語る方法に複数のやりかたがあるように、作品を構成する方法も「展示」

4 二〇一六年、秋の記憶——原宿のVacantで「American Boyfriend」の一部をなすトークイベント「老い、失われる記憶と生まれる物語」に参加した。過去の「American Boyfriend」のトークイベントと同じく、ミヤギさんに加えてゲストが二人。このときは堀江敏幸さんとわたしだった。その前年、国立国際美術館で——日本の美術館では十一年ぶりの——ヴォルフガング・ティルマンス展があったとき、ミヤギさんとわたしは『美術手帖』でクロスレビューを書いた。まったくの偶然だが、そのときの二人の原稿はいずれも「老い」をめぐるものだった。このトークイベントは、まさにこのときの文章をきっかけに企画されたものだ。

だけとはかぎらない。ミヤギフトシのそうした姿勢は、この作家のライフワークとも言える「American Boyfriend」において明瞭に示されている。「沖縄で沖縄人男性とアメリカ人男性が恋に落ちること。それは可能なのだろうか。それぞれの言葉があり、翻訳され、取りこぼされ、誤訳される言葉がある。隔てられたそれぞれの場所で、ふたりが見る風景はどう違い、ふたりはどれだけ近づくことができるのか」——数あるミヤギの作品のなかで唯一、独立したウェブサイト（http://www.americanboyfriend.com/）をもつこのプロジェクトの説明文は、以上のような一節とともに始まっている。その全文については当のウェブサイトをぜひご覧いただきたいが、ここで特筆しておきたいのが、このプロジェクトに含まれる作品やイベントの形態である。

　ひとりの美術作家が、おのれの複数の作品を、その上位カテゴリーたる「シリーズ」に束ねることはそう珍しくない。しかし「American Boyfriend」が特異なのは、それが「展示」のみならず「小説」や「トーク」といった複数の表現形態を包含するものになっていることだ。

　いくつか具体的に挙げてみたい。二〇一二年に始まった「American Boyfriend」には、個展「The Ocean View Resort」（東京、二〇一三年）や、すでにひとつ前のセクションでふれた「Bodies of Water」（京都、二〇一四年）などが含まれる。いっぽう特筆すべきは、ここに「エイズ危機時代のアメリカにおけるクィアの表現とその可能性」（東京、二〇一二年）、や「戦争を想像する」（東京、二〇一四年）といったトークイベントが——展覧会に附随するものとしてではなく単体で——含まれていることだ。じっさい、これまで東京・原宿のVacantで行なわれてきた一連のトークイベントは、ミヤギの「American Boyfriend」を通覧するとき、およそ欠かすことのできない要素となっている。

　そればかりではない。そもそもミヤギフトシのウェブサイト（https://fmiyagi.com/）を見てみると、そこでは小説として発表された『ディスタント』（河出書房新社、二〇一九年）もまた、同じ「American Boyfriend」シリーズの一部に数え入れられているのだ。これはいったい何を意味するのだろうか。

隔たり／Distant [5]

『ディスタント』は、もともとミヤギが二〇一七年から雑誌『文藝』に発表してきた三篇の中編小説（「アメリカの風景」「暗闇を見る」「ストレンジャー」）を束ねた一冊である。それぞれの語りの視点こそ異なるが、三つの物語の中心にいるのは、沖縄に生まれ、大阪の専門学校を経て、ニューヨークの大学で写真を学ぶ若きアーティスト志望の男性だ。過去にミヤギの作品、とりわけ「American Boyfriend」シリーズに接したことがある読者にとって、これらがいわゆる「私

5　二〇一七年、夏の記憶——『美術手帖』の企画（ARTIST INTERVIEW）で、ミヤギさんにはじめてインタビューをした（『美術手帖』二〇一七年十一月号、四〇—四五頁）。このインタビューでは、ニューヨーク時代の作品《Strangers》について詳しく聞いたことが印象に残っている。だからこそ、『ディスタント』の最終章にあたる「ストレンジャー」を初出で読んだとき、これはまさしくミヤギさんの《Strangers》のことだ、とすぐに思い至ったのだ。

小説」のたぐいであることは一読して明らかだろう。

美術家による小説作品、というのは過去にも例がないわけではない。古くは「尾辻克彦」のペンネームで芥川賞を受賞した赤瀬川原平のような例もあれば、近いところでは『この星の絵の具』という長篇の自伝小説を刊行中の小林正人のような例もある。しかし、ミヤギフトシという作家にかぎって言えば、『ディスタント』をそれらと同様の「現代美術家による小説作品」と形容することには大きなためらいをおぼえる。というのも、すでにみずからの青春の記憶を「American Boyfriend」というシリーズに託してきたこの作家の小説を、いわゆる通常の「私小説」と同一視することは不適切であるように思われるからだ。『ディスタント』に収められた三作品は、先にもふれたような語り手や一人称の変化をはじめ、隅々まで周到に書かれた見事な小説である。しかし、そのような印象のいくばくかは、作者自身の個人的な遍歴や、過去に公にされてきたこの作家の仕事を知っていることに由来しているのかもしれない、とも思う。すくなくとも小説『ディスタント』が、美術家としてのミヤギフトシの作品をなかば前提としていることは明らかであるように思われる。なおかつ、もともと現実と虚構のあわいを行くような作品を手がけてきたこの作家を知るものにとって、本書の占める位置はきわめて複雑なものとならざるをえない。一読するかぎり、この物語はミヤギフトシが東京で美術家としての活動を始めるまでの、いわば前史に相当する。しかしそれは、いったいどこまでが「本当のこと」なのか――。たとえばミヤギの作品を知る人間にとって、次のような一節を《The Ocean View Resort》の内容と切り離して読むことはむずかしい。

数か月後に控えていた個展で、初めて映像作品を発表することにしていた。カメラをデジタルに変えてから写真よりも映像を撮ることが増えていたこともあり、これまでは躊躇していた物語性の高い長編の映像作品を撮ろうと決めた。さまざまな風景を映し出す映像に語りが載せられ、場所の記憶と個人の記憶、そして閲覧者の記憶が結びついてゆく、そんな作品にしたかった。ナラティヴを美術に持ち込んではいけない、いつかそう私に言ったニューヨークの批評家の顔が眼前に浮かび、頭を振ってそれをかき消して車窓の外の風景を眺めた。作品の映像素材として島の風景を撮るため、数年ぶりに帰省する。物語の導入部分はすでに頭の中にできていた。生まれ育った島のビーチで幼馴染の男Yと再会する「僕」。祖父の葬儀で島に帰ったのだとYは言い、それから一九四五年六月、彼の祖父が島に流れ着いた顛末を語る……。

知らない人／Stranger ［6］

『ディスタント』の後半に登場するエピソード（「ストレンジャー」）は、ミヤギのニューヨーク時代の作品である《Strangers》（二〇〇五―〇六年）をつよく連想させる。《Strangers》は、ミヤギのウェブサイトでその存在を確認できる、もっとも早い時期の作品である。まったくの他人である男性と、その人の部屋で、二人が恋人であることを仄めかすような写真を撮る――大枠だけで言えばこのように記述しうる写真作品によって、このアーティストはキャリアを開始した。二十三歳のときに、やや遅めのアイデンティティ・クライシスを経験したというミヤギが手がけたこの作品のステイトメントのなかには、すでに「距離」という言葉が見てとれる。いわく、この作品のためになされた「それぞれの撮影」は、「それぞれの男に対する愛着」のようなものを抱かせた。そして、時に「二人の間の物理的・精神的距離」は途方もないほど遠く感じられたが、またある時には「必要以上の親近感を覚え」たともいう（https://fmiyagi.com/works/4/）。

　こうした不器用さ、ぎこちなさは、きっとわたしたちにも部分的に覚えがあるだろう。親近感と疎外感、親密さとよそよそしさが複雑に入り混じった感覚は、わたしたちが他者をひとりの人間として遇するなら、およそ避けようのないものだ。ふだん、われわれの周囲にある（とされる）スムーズな人間関係は、

6　二〇二〇年、冬の記憶――沖縄で発表されるという予定の《In Order of Appearance》のために、《花の名前》以来、五年ぶりに被写体としてミヤギさんと相対した。前回は映像だったが、今回は写真である。このときの待ち合わせは茅場町で、二人でマスクをして、冬の隅田川沿いを歩いたことを覚えている。わたしたちはもうたがいに「知らない人」ではないが、それでもわたしたちのあいだによそよそしさが欠けることはない。それを、わたしはとても自然なことだと思っている。

お互いが相手をある安定した距離のもとにおいているかぎりにおいてのみ可能になる。これに対して、ミヤギフトシの作品は、そうした安定した距離の背後にある、親密さとよそよそしさの入り混じった気配そのものを見せようとしている——すくなくとも、わたしにはそのように思われる。

もちろん、そのような単純ならざる気配を正しく感じ取るには、見るものの側にそうした構えが備わっていなければならない。そのためには、作品における「語りの内容」にとどまらず、その「語りかた」をこそ見なければならないだろう。それは、わたしたちがコーヒーやビールを共にする相手の「話の内容」ではなく、その「話しかた」に耳を傾けるのと、基本的にはまったく同じことである。

指標的オートフィクション——割れたガラスがうつし出すもの

浅沼敬子

割れたガラスの島――誰のまなざしか

ニューヨーク時代のミヤギフトシのインスタレーション作品のひとつに、《Island of Shattered Glass／割れたガラスの島》（二〇〇七年）がある。[1]三脚に取り付けられた一台のカメラが、展示室中央に積まれたシュレッドされた紙の山に向けられている。壁には、シュレッドされた紙のもとのちぎり絵を記録した写真が並ぶ。当時ミヤギのつくったちぎり絵の写真のひとつは、現在ミヤギのウェブサイトでも見ることができる（以下、《Cuts》）。ちぎり絵でつくられた田舎の風景画が撮影された、白黒写真――白黒とはいえその画面の濃淡は、もとの絵がかなり鮮やかな色紙で構成されていたことを伝える。画面中央を、奥に向かって一本の道路が走る（道路は、ミヤギの好むモチーフのひとつだ）。道路両脇の側溝と、列柱のように並ぶ電信柱が、一点透視図法的画面を構成する。

一九六九年、ロバート・スミッソンは、《割れたガラスの地図（アトランティス）》[2]において、かつて地上に君臨しながら海底に沈んだという伝説の島アトランティスをガラスの破片の堆積で比喩的に「再現」した。ミヤギはスミッソンのこの作品から想を得て、破砕されたガラスの代わりに紙を使って、自身の故郷である久米島の風景を「再現」したのだった。《Island of Shattered Glass》が発表された二〇〇七年当時、ミヤギは自身のアイデンティティに向き合おうと苦心

1 Daniel Reich Gallery／ダニエル・ライヒ・ギャラリー、ニューヨーク市、二〇〇七年七月十五日―八月十日。

2 原題：*Map of Broken Glass (Atlantis)*（一九六九年）。

していたという。ちぎり絵でつくり出した風景画をシュレッドする前に、白黒写真として残した《Cuts》は、その手順を含め、故郷、そして家族に対するミヤギの複雑な思いを反映しているのだろうか。画面を奥へと進む道は、海の向こうの楽園「ニライカナイ」を求めていた、ミヤギのかつての心象の反映なのだろうか。ミヤギの小説「暗闇を見る」（二〇一七年）などに描かれる離れ小島のような、村から外れた場への思いを表現しているのだろうか。

ミヤギは《Cuts》を制作するにあたって、部分的にせよ、写真をもとにしたと語っている。電線や道路の直線が生みだす線遠近法が極端に強調されているように見えるこの構図で、道路は上から俯瞰的に眺められている。地面に足をつけて見たとは思われないこの角度は、カメラをこの風景に向けた人物の存在を示唆しながらも、人間の視線とは違った機械の「眼」をも示しているように見える。誰かによって見られた光景でありながら、誰の眼にも還元されないまなざしによって捉えられた光景でもあるという違和感が、私たちを捉える。この違和感は、既述のように、ミヤギの故郷への心理的距離の反映と解されるべきなのだろうか。あるいはそうかもしれない。とはいえ本稿では、特定の人物に帰属しえないこの機械的「まなざし」が、ミヤギ作品において特異な機能を持つことを指摘したい。

《Not My Cup of Tea》——時間を知らせる静物写真

ミヤギの映像作品の特徴のひとつは、とりわけ静物や風景の映像に顕著に認められるその静止画性といえるだろう。ここでは、ミヤギの最初期の映像作品《What I Meant Was》《Not My Cup of Tea》(いずれも二〇一〇年)から、後者を取り上げたい。

《Not My Cup of Tea》では、テーブル上に置かれた一客のティーカップが画面の「主役」であり、そのカップを使う人も含め、人物は画面には現れない。パソコンからと思われる呼び出し音が鳴り響くものの、応答される気配は一向にない。ティーバッグの入ったお湯は、呼び出し音をよそに、静かに茶色に染まっていく。徐々に色を変えていくお湯以外まったく動きのない画面は、観る者を、静物画、あるいは静物写真を見ているような気分にさせるだろう。

「静物とは時間である」。ジル・ドゥルーズは、『シネマ 2』における小津安二郎論でそう書いた[3]。ドゥルーズは、小津映画の静物のロングショット——たとえば壺のロングショット——では時間が純粋な仕方で現れると評する。本来変化する静物の不動性、持続が時間を露わにするのだという——この評言は、映画ではないが、ミヤギの映像と強く共鳴するように思う。《Not My Cup of Tea》の鳴り響く背景音と色の変わっていくお湯は、観る者に時間を濃縮的に

3 Gilles Deleuze, *Cinéma 2 L'image-temps*, Les Éditions de Minuit, Paris, 1985.〔邦訳:ジル・ドゥルーズ『シネマ2*時間イメージ』宇野邦一、石原陽一郎、江澤健一郎、大原理志、奥村民夫訳、法政大学出版局、二〇〇六年。〕

伝える。私たちは一向に応答されない呼び出し音を聴きながら、お茶の色が変わっていくのをただじっと見守る。あるいは、待っている。その間私たちは、時間を強く意識させられることになる。

他方でその映像は、一向に音に応じない、部屋の中の人物の存在をも強く示唆しもする。お茶を淹れた人物はなぜ呼び出しに応じないのだろう、電話に出る気分になれないのか、なかなか切れない呼び出しの用事は何なのだろう……画面を注視しながらじりじりと待たされる観者の頭の中には、こうした疑問も浮かぶかもしれない(ミヤギのイギリスの知人であるマシューとのやりとりをモチーフにした個展インスタレーション《A Cup of Tea》(ヒロミヨシイ、二〇一〇年)に足を運んだ人であれば、ふたりの関係を推しはかることができただろうか)。静物がそれ自体持続的で自律的な存在として表されていながら、同時に人物をも示唆するというこの二重構造は、映画であれば一定の物語り効果を持っているのだろうが、写真家、インスタレーション・アーティストとして出発したミヤギの作品では、静物の持続性が前景化されるように思う。多くの人はこの映像を撮影者、アーティスト自身が撮影したものであり、彼の置いたカップが撮られたのだと考えるであろう。映画のように、架空の状況の中に静物の映像が挿入されるのではない。カメラを固定して撮られたように見えるこの映像は撮影者の視線とは合致しないが、観る者に撮影者の存在を示唆しはする。フィクションではないが、被写体である静物をいわば人物をうつし出す鏡のように用いて、その人物を織り込んだ物語を示唆する静物写真のような映像――《Not My Cup of Tea》を、このように叙述することができるだろうか。

《The Ocean View Resort》――時制の不一致

ミヤギ最初の中編映像作品《The Ocean View Resort》(二〇一三年)は、つづく《ロマン派の音楽／A Romantic Composition》(二〇一五年)と同じく、大部分が風景と静物の映像で構成される。冒頭の海のショットを除いて、三脚に固定されたカメラによって撮影された風景の連続。浜辺からホテルのプールサイドへ、浜辺に二棟並んだホテルの画面へ――タイトルの「Ocean View Resort」は、その内外をうつし出されていくホテルの名前である――、固定ショットのうつり変わる同作は、動画でありながら静止画のスライドショーのような趣を持つ。《The Ocean View Resort》の映像進行は、画面に表示される字幕と、作家本人によるヴォイスオーヴァーによるナレーションと平行関係にある。同作のいわば「狂言回し」をひとまず字幕上の「僕」、語り手の「I」と措定すれば(本作では字幕は日本語で、語りは英語で行われる)、彼は「二〇一一年　夏の終わりごろ」故郷の島に帰島し、祖父の葬儀のためやはり帰省していた幼馴染のYと再会する。「僕」とYのふたりの会話は、かつてそこにあった米軍の強制収容所にうつり、第三者的ナレーションが、沖縄戦後この島で起こった日本兵による虐殺を明かす。その後、亡くなったYの祖父の日記の内容が挿入されることで語り手はさらにYの祖父へと移り、物語は沖縄戦後の収容所へと時間を遡っていく……。こうして「僕」とY、そして沖縄戦後のYの祖父と米軍兵という少なくともふたつの時制、ふた組の語りがオーヴァーラップしていくこの構成で、物語の「主人公」は存在しない。既出の言葉を使えば「僕」は「狂言回し」として、回想を惹起し、物語を展開する役目を担う。そもそも、語り手の「僕」が作者であるミヤギ自身の属性を多く共有しているため、観る者は「僕」がミヤギ自身なのか物語の登場人物なのか、境界を見定めることができない。語りが回想なのかフィクションなのかがはっきりしない映像作品に、「主人公」が存在し得るのだろうか。そうした自伝ともフィクションともつかない語りを、ひとまず「オートフィクション」と呼ぶならば、この構造は、風景や静物の静止画のような映像とも呼応する。

《The Ocean View Resort》の冒頭部で、海面からゆっくりと遠方の島影に向かうカメラの動きは、語り手の視線を表すものだろう。同作のフィクション的要素を知らずに映像を見はじめた人は、その視線を、作者であるミヤギのそれと同一視するかもしれない。しかし映像はすぐ海浜の固定ショットにうつり、既述のように、静止画のスライドショーのような風景ショットがつづく。語りが第三者的説明を経て、「僕」から「私」へ、つまりYの祖父へうつると、語りと映像との間には時制上の断絶が起きる。観る私たちは、「僕」とYのいる海浜のホテルの周辺の「現在の」光景を眺めながら、沖縄戦後そこにあった収容所での「過去の」出来事を聴くことになるのである。

前出の小津安二郎論で、ドゥルーズは、静物と風景を対比、区別しながらも類似的ショットとして取りあげていた。風景と静物のショットは、後者がたとえば人物の間接的描写として映画の物語世界に寄与するのに対して、前者の方が空疎で物語に組み込みにくいという違いはあるが、いずれも登場人物を中心とした物語世界に対しては逸脱的である。映画ではないが、芳醇な物語世界を生みだしながら多くが風景と静物のショットで構成されるミヤギの映像は、従って、登場人物によって展開される物語を前提とした場合、本来的に逸脱的、あるいは示唆的なものといえるかもしれない。《The Ocean View Resort》をはじめとするミヤギの映像作品で、語りに対してときに映像が二次的な位置づけと捉えられるのも、風景という被写体の問題が大きいといえるかもしれない。

もっとも、ミヤギの映像作品にも人物が登場しないわけではない。《The Ocean View Resort》ではYに比定される人物が一部うつし出され、《花の名前／Flower Names》(二〇一五年)でも登場人物は多くが後ろ姿で、また、そのクライマックスでは正面からうつし出される。ただし、映像中の人物はあくまで撮影者の撮った実在の人物といういわば現実感が強く、ヴォイスオーヴァーによって語られる歴史や物語の登場人物と必ずしも同一視されない。通常の映画やドラマであれば、私たちは、登場人物を演じる俳優と物語の時制を想像的に合致させ、挿入される風景などの非人物的ショットも物語内時制と一致させて見るだろう。もしも、十九世紀を扱ったドラマで、登場人物が二〇二三年の現代人にしか見えなければ、あくまでその齟齬を狙った内容でない限り、そのドラマはその時制的乖離ゆえに失敗と見なされるだろう。それに対して、ミヤギの《花の名前》の映像で川縁を歩く男性を、ナレーションに登場する「ES」と同一視するよう観者は求められない。《How Many Nights》（二〇一七年）で映像に登場する後ろ姿の女性たちを、太平洋戦争下の女性たちと同一視することも求められない。映像はあくまで「現在」撮影されたものであり、ナレーションで語られるしばしば過去の出来事や人物の後追い、示唆にすぎず、実在の人物、実際に起こったこととはどこか違う——私たちの見ている映像はアーティストが構成し、撮った代替の光景だという現実感を、観る者はおそらく共有する。風景や静物のショットが物語世界にとって逸脱的でありながら一種の比喩であるとすれば（この解釈はドゥルーズから逸れるかもしれないが）、ミヤギの映像作品に登場する人物もまた、多くは比喩的位置づけに留まる。

ミヤギの映像のこうした現実感は、作品の作者であるミヤギをも示唆する。《The Ocean View Resort》でスライドショーのようにうつり変わる風景は、部分的には確かに「僕」の見た光景を示唆しているだろう。そして、「僕」がミヤギ自身と多くの属性を共有しているがゆえに、光景はミヤギの視線をも指し示す。しかし同時に、固定ショットは、その光景をどこか非人間的なものにしてしまう。それらは一体「誰の」目線なのか。映像には人間の視覚としては不自然な構図も見られるため、結局のところ、登場人物と映像は交差したり呼応したりはするものの、合致はしない。たとえるならば、私たち観者は「僕」とY、そして「僕」と半ばシンクロしている作者とともに、窓の外の風景を眺め、かつてそこで起きた出来事を聴いているようなものだろうか。もっとも、窓であれば風景は同時的に眺められるが、ここで眺められるのは作者が目を向け、カメラが撮影した風景の映像であり、従って過去のそれであるということになるだろう。このような感覚は、やはり風景の固定ショットで構成された二〇一六年の《いなくなってしまった人たちのこと／The Dreams That Have Faded》で、さらに顕著になると思う。固定されたショットが私たちの身体感覚から離れているため、私たちはやはり風景と自分たちの間に強固なフレームがあることを感じる。その光景を撮影したのはたしかにミヤギ自身だろう。しかし、移動のないショットはミヤギ自身の眼、身体の動きとも違い、壁に掛けられた絵のように自律的に見える。そして私たちは、長崎やマカオの「現代の」風景を眺めながら、津島佑子の『ジャッカ・ドフニ　海の記憶の物語』（二〇一六年）に取材した同作に、字幕でかつてのキリシタンとアイヌの物語、消えてしまった彼らの音楽を想像する。そこでは映像と語られる時代との時制的齟齬が強く意識させられるのである。

静止画

二〇一六年、ミヤギは《This Madhouse: Reading Zooey (and Other Stories) at Home》（以下、《This Madhouse》と略す）という映像作品を発表している。久米島のミヤギの実家とその周辺を撮った静物と風景の固定ショットが多用された映像作品で、《The Ocean View Resort》や《ロマン派の音楽》、また前項で取り上げた《いなくなってしまった人たちのこと》といったミヤギの映像作品において、物語の内部でも（語りと映像のような）表現媒体の面でも仲介的役割を果たしてきた音楽が介在しない。語られるテクストはJ・D・サリンジャーの小説『フラニーとゾーイー』（一九六一年）だが、フィクションかノンフィクションか聴く側には判断のつかない、ミヤギ自身の編み出した物語が組み込まれている。

この《This Madhouse》でミヤギは、固定ショットの連続の後に、突然移動ショットを挿入して観る者を驚かせる。突然はじまった移動ショットで、カメラ（撮影者）は、テニスコート横の舗装されていない小道を進んでいく。進んだ道の先には海が広がっているはずだが、映像はその手前で止まってしまう。そして語りも、海の手前の草むらの行き当たりでクライマックスを迎える。突然はじまる移動ショットは、静止画で見ていた風景が突然動き出したかのような驚きを観る者にもたらすだろう。もっともこの場合、「静止画」といっても厳密な意味では静止画といえず、風景の固定ショットを指す。風景であるから、画面には風に草が揺れる程度の動きしか投影されないという意味で、静止画的なのである。

《This Madhouse》では、固定から移動へのショットの突然の切り替わりが、両者の違いを観者に印象づける。移動ショットを見るとき、私たちは、カメラ、そして撮影者とともに疑似的に道を歩く。私たちはカメラのうつし出す映像を自分たちの行動と同一視する。それに対して固定ショットは映像を、フレーミングされた絵や写真のように眺めるよう観る者に促す。前者で疑似的にせよ身体的に行動しているときには意識されなかった懸隔、距離が、後者では現れる。だからこそ、後者を多用するミヤギの映像作品では、既述したように、観者が映像を登場人物なり撮影者なりの視線と同一視するのがいっそう難しいのである。いうまでもなく、人間の肉眼や肉体を長く固定するのは難しいのだから、持続的な固定ショットで、人間の身体運動を同時「体験」することはできない。[4]壁に掛けられた絵や写真のように、私たちはフレームの表象する心理的距離を隔てて風景を眺める。すべてではないにせよミヤギの映像は、カメラの撮った静止画に動きを与え、静止画の不動性をさらに持続させたような、抽象的特性を有するように思う。

　ここで、写真、つまり静止画の時間についての記述が、長くその時制の不一致あるいは共存について言及してきたことを挙げておこう。よく知られているように、ロラン・バルトは写真の本性について、「それはかつてあった」として、過去の現存する痕跡として論じた。[5]ティエリー・ド・デューヴは、その古典的論考「時間の露出とスナップショット――パラドクスとしての写真」（一九七八年）で、写真の時間を「スナップショット」と「時間の露出」というふたつの概念を使って分類、分析している。[6]「スナップショット」とは、通常私たちがこの語を使うときに意味するように、現実の動きや流れから切り取られた瞬間の記録という意味である。空中に跳び上った陸上選手の動きは、肉眼で見れば、助走から跳躍を経て着地まで一連の流れとして認識されるだろうが、カメラはその跳躍の瞬間のみを切りとり、イメージとして保存できる。それに対し、葬儀のときの遺影のように、観る者がそこからとめどなく記憶と想起をひき出すことのできる写真経験を、ド・デューヴは「時間の露出」と呼んだ。「スナッ

4　移動ショットは、その移動によって上述のように観者の疑似的で同時的な体験を促す点で、エピソードとの親和性が高いかもしれない。移動ショットによって、私たちは、登場人物「となって」疑似的に歩いたり走ったりすることができる。そのようにして移動ショットを「体験」するとき、映像と私たちの間には少なくとも意識の上で時制の不一致はない。私たちはそれによって、疑似的に物語世界に「入って」いくことができるだろう。

5　Roland Barthes, *La Cambre claire, Note sur pa photographie*, Paris, Seuil, 1980.〔邦訳：ロラン・バルト『明るい部屋――写真についての覚書』花輪光訳、みすず書房、一九九五年。〕

6　Thierry de Duve, Time Exposure and Snapshot: The Photograph as Paradox, *October*, Vol. 5, Photography (Summer, 1978), pp. 113-125.

プショット」が空間的な「ここ」と、時間的な「かつて」の組み合わせであるとすれば、「時間の露出」は時間的な「いま」と空間的な「そこ」の合致であり、写真はこのふたつの組み合わせだという。もっとも、葬儀の写真も過去のある時に撮影されたものである以上、時間的な「いま」は同時に過去性とも結びついているといわねばならないだろう。写真的時間性を映画との比較で多角的に解き明かそうとしたダミアン・サットンの『写真、映画、記憶』(二〇〇九年)でも、写真は、異なった時制の共存、重複の場として論じられていた[7]。

ミヤギの映像作品は、静止画的映像の多用によって、こうした時制の不一致を取り入れているといえるかもしれない。《This Madhouse》の映像は、ミヤギの実家の室内や家の周辺を静かにうつし出していくが、そのショットの固定性は、誰の動きにも比定され得ないカメラのファインダーを強く示唆し、光景に過去性、時制上の距離の感覚を付与する。既述のように、それらは誰かがカメラを向けた光景であって、観る者が疑似的に「入り込む」光景ではない。一見関係のないテクストが作家本人によってヴォイスオーヴァーで読み重ねられることによって、奇妙なことに、作家本人すらその光景の傍観者であるように思えてしまう。もっとも、繰り返しになるが、その光景は厳密には静止画ではない。カーテンは揺れ、木の葉も草も揺れ動く。不動の光景の中のささやかな動きは、光景に持続性を与え、ド・デューヴの言葉を使えば、「時間」を「露出」

7 Damian Sutton, *Photography, Cinema, Memory: The Crystal Image of Time*, University of Minnesota Pr., 2009.

させる。そしてこうした静止画的持続性が、翻って、異なった時制の物語に道を拓く。静止画的であるからこそ、「現代の」情景を眺めつつ過去を想起し、場合によってはあり得たかもしれない可能性を思い描くということが可能になるのである。

写真的静止画性がミヤギ作品において持つもうひとつの効果として、私は、映像をめぐるさまざまな主体間の距離の感覚を挙げたい。これは、本稿で述べてきたような、カメラの「視線」と人間のそれとのズレと関連する。ミヤギの作品では、《The Ocean View Resort》で例示したように、ミヤギ自身がヴォイスオーヴァーを担当し、ミヤギ自身によってほとんど執拗といえるほど緻密に要素が組み合わせられていたとしても、完全なモノローグ的構成は避けられる。会話、回想、第三者的説明の挿入、引用の使用によって、ミヤギは、あたかも粉々のガラスが断片的に対象を反射によって浮かび上がらせるように、人物の像をかたちづくっていく。人物が自らを語るのではなく、風景、静物（さまざまなアイテム）、他の人との対話、引用が、割れたガラスのように、分散的反射像として人物を浮かび上がらせるのである。ミヤギの映像の観者が、登場人物に感情移入し、自らをなぞらえて疑似的に同一視してしまえば、この鏡面機能は消滅してしまう。壁に掛けられた風景写真、静物写真のような映像は、それがカメラによって、撮影者であるミヤギ自身の肉眼では捉えがたいイメージを提示することで、ミヤギ自身の存在すら逆照射してしまう。私たち観者は、作者であるミヤギの見た風景を共有するのではなく、カメラの撮った風景が反射するミヤギの像をかいま見るのである。

「ストレンジャー」──逆照射される主人公

ニューヨークで写真家としてキャリアを開始したミヤギの最初の作品は、《Strangers》（二〇〇五―〇六年）という写真シリーズだった。ミヤギ自身が見知らぬ人の自宅を訪ね、その人物とミヤギがあたかも恋人同士であるかのような写真を撮る。現実の恋人同士ではないので表情や仕草のぎこちない写真もあるが、自然な写真もある。ミヤギ自身被写体のひとりであるため、カメラを固定して自動あるいはリモートのシャッターで撮影したと思われるが、まるで室内のアイテムがひとつひとつ演出用に配置されたかのような──実際に手を加えたわけではなかったようだが──稠密な写真シリーズで、直接的にはボストン派の写真に影響を受けているのだろうが、私自身は写真によってはアンリ・マティスの室内画を思い出しもした。人物がミヤギにとって最重要な主題であることは間違いないが、この写真群を初見したとき、人物を撮るよりも、室内のさまざまなアイテムによって人物を語らせる方が、凝縮的でしかもリラックスした映像になるようにも思った。

ミヤギは二〇一八年、この写真シリーズと同名の「ストレンジャー」という小説を発表した。沖縄出身で、ニューヨークで写真を学ぶ主人公のジャックは、友人たちの協力を得、見知らぬ人の自宅を訪ねて恋人同士のような写真を撮るプロジェクトを進めていく——一読すると、あたかもミヤギ自身の体験を綴った小説のように読める。この小説版「ストレンジャー」のクライマックスは、マンハッタンのNightingaleというバーでの一幕だろう。最後の撮影を終えたジャックは、被写体の男性ダニエルと、大学の友人ソラヤの働くNightingaleを訪れる。ほどなくカウンターで眠ってしまったジャックの横で、ソラヤとダニエルは会話をつづける。話題はやがてジャックの未来予想に移り、ふたりの想像はさらにジャックの故郷（過去）にも向かっていくが、その想像も自分たちの回想と混じり合って輪郭を失っていく。

「ストレンジャー」のこの場面は、ミヤギの映像作品ともその「構造」を共有しているように思う。ジャックはたしかにこの小説の「主人公」だが、その人物の輪郭をかたちづくるのは彼自身ではなく、周囲の人々の語りである。人々の語りと相まってジャックの輪郭もときに曖昧化するが、たとえあやふやで、また断片的であっても、語りは間接的に人物を浮かび上がらせるのである。語られるジャックの未来は、他者の過去の記憶と混じり合う——人はいつか見た光景をもとにまだ見ぬ情景を想像するのだから。その想像と記憶の交錯する場として登場するのが、ジャックの故郷の風景である。

前出の《The Ocean View Resort》で見たように、ミヤギの映像作品で風景映像は、フィクションの一部ではなくあくまで撮影された映像として見られるという意味で現実感を有していた。そこにヴォイスオーヴァーと文字によって語りが加えられることで、同じ風景が圧倒的な過去性、あるいはときに想像の次元をも帯びることになった。撮影者が撮り、私たち観者が見る「現在の」風景は、沖縄戦後、米軍の建てた収容所のあった場所となり、ホテルの窓から見える、「撮られた」灰色がかった海の光景は、Yの語りによって、黄金色に輝く海の情景を想像させる情景ともなった。小説には、写真のように——ロラン・バルトの既出の写真用語「それはかつてあった」とも関連づけられてきた——いわゆる「指標性」はないが、しかしミヤギの短編集『ディスタント』（二〇一九年）があたかもミヤギ自身の自伝のように、おそらくはミヤギ自身の実体験をも交えて描写されているのは、小説にも写真的指標性を付加していると見なせるかもしれない。つまり、完全なフィクションではなく、ミヤギ自身の痕跡を残した小説という側面があるのかもしれない。映像においてと同じように、フィクションと実体験の交じり合ったような曖昧な感覚と、その感覚が示唆する「主人公」の複層性。風景という鏡面によって逆照射される人物。そしてその風景は、いくつもの記憶と時制の交叉する場でもある。既出の表現を使うならば、さまざまな人のさまざまな言葉が割れガラスのように、ミヤギ自身を断片的に浮かび上がらせる。『ディスタント』はその意味でミヤギの映像作品と共通の構造を有するように思う。

《感光》《感光の数分間》——結びに変えて

二〇一八年、東京都写真美術館のグループ展[8]に、ミヤギは《感光／Sight Seeing》《感光の数分間／A Few Minutes of Sight Seeing》の映像インスタレーションを発表した。大きくふたつに分けられた展示スペースの手前には、暗がりの中で撮影された若い男性の肖像写真が並ぶ。壁を隔てた奥の部屋には、彼らを撮影した時の動画が流れていた。動画は、程度の差はあれどれも暗がりで撮影されており、比較的はっきりと表情を見ることのできる人もいれば、室内の様子をうかがうのが精いっぱい、あるいは室内すらほとんど見えない動画もある。

同作の発表は二〇一八年だが、このシリーズの開始は二〇一一年頃だったという。ニューヨークから帰国してまもない頃、ミヤギはセクシュアル・マイノリティに対する日本社会の閉塞感を感じ、それが暗がりの映像へ、「隠蔽され

8 「小さいながらも確かなこと　日本の新進作家vol.15」東京都写真美術館、二〇一八年十二月一日—二〇一九年一月二十七日。

た関係」の演出へとつながったのだという。

この展示で私が着目したのは、《This Madhouse》と同様、静止画／写真と動画の並置だった。あるいは、既に記したように、写真が内包する時間を「露出」していくような動画の使用というべきかもしれない。動画に残された、写真家と被写体との間のときに緊張感を含んだ時間。自身の来歴について雄弁に語る人もいれば、訥々と語る人、冷淡であまり語ろうとしない人……さまざまな言葉が交わされる暗闇の中で、カメラが肖像を生み出していく（少なくとも私が見た動画でミヤギはカメラを固定してセルフタイマーあるいはリモートでシャッターを切っており、自身はヴューファインダーを覗いて調節する側にあった）。来場者は肖像写真を見た後、動画によってそれらの生成過程を見ることで、写真に込められた時間が「ひき伸ばされて」いくのを目の当たりにしたことだろう。

《感光》は、ミヤギの最初の写真シリーズ《Strangers》の後続シリーズといえる。そこでカメラは、ミヤギにとって、他の人々と接近するためのツールといえる。帰国後にはじめた、スカイプを通じて相手の顔を撮影する「You were there in front of me」（二〇〇七年―）もやはり、他の人とコンタクトを取るプロジェクトだった。とはいえ、同プロジェクトで撮影された肖像写真のほとんどはミヤギには不満足だったらしく、現在私たちがウェブサイトで確認できるのはミヤギが親しくなったマシューの画像だけである。

《感光》は、そうして、ミヤギによる他者とのコンタクトのツールであるとともに、カメラ自体が接触の場であるというあまりにも原理的な事実をも伝えるように思う。暗闇は、視覚による他者との空間的距離が消えてしまう場でもある。私にその経験はないが、視覚的、空間的認知が奪われた状態で、ふたりの人間が共有できるものといえば時間の持続ではないのだろうか。そこに光が差し込むことで人やモノの像が生まれ、空間が認識される。距離が認識されることになるだろう。ミヤギの《感光》で、肖像写真は暗い中でも被写体の表情を伝えていたが、既述のように、動画《感光の数分間》では被写体の輪郭がほとんど認められない例もあった。だからこそ、それぞれの動画で「光源」は重要だった。撮影用カメラの液晶モニターの光が目立つ動画もあれば、タバコの火が光源として影をつくり出す動画もあった。暗闇の中で、街灯や月などさまざまな光が、人やモノの輪郭をわずかに浮かび上がらせる。

小説『ディスタント』にも書かれているように、アイデンティティはミヤギにとって重要な主題だった。「アイ」つまり「私が」表現するためには、「私／主体」が必要とされるだろう。しかしミヤギの作品で、観る、あるいは読む、聴く私たちにメッセージを伝える確たる主体は存在しない。風景、静物、人物の後ろ姿や斜め向きの姿が、それらにカメラを向けた人物の存在を逆照射するだけである。そしてその照射性は、ミヤギが静止画的固定ショットを多用することでおそらくは強調される。《This Madhouse》でミヤギ自身示したように、移動ショットにおいて私たちはしばしば映像内の人物の動きに気を取られ、撮られた対象、撮った人物の存在を忘れてしまう。《Strangers》で、ミヤギが自分自身をカメラの被写体として登場させたことが示すように、ミヤギにとってカメラは自己表現というよりはむしろ風景や静物といった被写体のように、反射材であったといえるかもしれない。《感光》で、カメラはときに光源として、ミヤギを含め、被写体の人物の像を空間的に浮かび上がらせる装置だった。「私が」ではなくカメラが撮るのであり、「私」「私たち」はそこで浮かび上がる像にすぎない。とはいえ、実在するからこそ影が残るのである。こうしてカメラは、いわば迂回的に自己像を形成するひとつの手段として、ミヤギの制作において重要な意義を担っている。

もっとも、本稿のように古典的写真観に依拠したミヤギ論は、ミヤギの活動全体を捉えるには限定的すぎるかもしれない。ミヤギの「American Boyfriend」のプロジェクトは、ブログをもとに展開してきたという。ミヤギの活動のベースがネットのコミュニケーションにあり、そこでミヤギが個人的かつソーシャルな場をつくり上げてきたとするならば、その場の「私」性をも問うていくべきなのだろう。

問われ語りの回路——
ミヤギフトシ『ディスタント』論

岩川ありさ

二〇二一年十一月五日、私はカフェの陽だまりのなかで、ミヤギフトシの『ディスタント』（河出書房新社、二〇一九年）を読んでいる。二〇二一年十月三十一日の衆議院議員総選挙では、選択的夫婦別姓、同性婚、ＬＧＢＴ理解増進法案が論点となった。そもそも、日本共産党はＬＧＢＴ平等法、社民党、立憲民主党などはＬＧＢＴ差別解消法の制定を求めていたが、自民党との協議を経て、ＬＧＢＴ理解増進法案に変更するという「譲歩」が行われた。だが、自民党内の保守派議員の反対があり、法案の提出は見送られることとなった。政権与党である自由民主党と公明党の絶対安定多数確保、日本維新の会の躍進で、今後も法案提出は見送られる可能性が高い。セクシュアル・マイノリティへの差別を公言していた議員も当選した。

いま、この時代に小説を読むこと。

それはひとつの抵抗になりうるだろうか。

私は、ミヤギフトシと同じ時代（私は一九八〇年生まれ、ミヤギは一九八一年生まれ）を生きてきた。『バック・トゥ・ザ・フューチャー』、レディオヘッド、ファイナルファンタジー（ＦＦ）、『路上』。これらの固有名詞がちりばめられたこの小説は、私に懐かしさを生じさせる。違う場所で、同じ作品を、ミヤギと私は、読み、受けとめてきたのだろう。小さな頃、私は、〝男の子たち〟の文化のように感じて、レディオヘッドの音楽を聴いたことはなかった。しかし、二十一世紀になったあと、ロックやバンドが好きな女友だちに教えてもらって、私はレディオヘッドと出会いなおす。私ひとりの記憶は、ほかの誰かの記憶や言葉と出会って、閉じた記録《ログ》を壊し、更新されてゆく。他者の記憶と私の記憶が呼びかけあい、他者とのあいだで物語が生まれる契機となる。だが、同時に、記憶がわかちもたれ、更新された瞬間、私だけの記憶は危機にさらされもする。私の懐かしさは他者の懐かしさとはいつも少しずつずれているからだ。

　私は、この本を手にとり、「ディスタント／distant」という書名と「ミヤギフトシ」という作者の名前を読みとる。煙草を吸う、Tシャツを着た、黒髪の人物の横顔が薄墨色の下地に浮かびあがっているように私には見える表紙には、煙草の火のオレンジ色が鮮烈な《Y》（二〇一三年）というミヤギの写真作品が用いられている。そのヴィジュアルや本の手触り、私がこの本を読んだ風景や状況を私は二〇二二年十月十一日になっても記憶している。ミヤギの本は時差を持って私に届いてくる。その時差こそ、懐かしさの発生源なのだ。

　表紙のこの写真も、ミヤギが写しとった一瞬の光景であり、もはや現在にはない過去の一点が記録されている。ミヤギにとって、この光景は懐かしい記録《ログ》なのではないか。忘れたくないこと、忘れられないこと、忘れてしまったこと、忘れたいこと、いまになっては無関心になっていることがらは遠近をともなって人びとの記憶をかたちづくっている。記録《ログ》を頼りにして、私たちは記憶をたどり、不意に懐かしい記憶と出会う。まるで遠くにある星をたどるように、ミヤギの小説からは、遅れて届く光のようにして、過去の光景が届けられる。私は、お伽話をせがむ子どものように、その光景についての物語を聴きたくなる。

したがって、まず、この小説を読みながら認識するのは、『ディスタント』という小説と読者（たち）との距離である。誰かの物語をのぞくときに生じるディスタント。読書という行為そのものが持っている、読者と物語世界との埋めがたい距離の問題を、『ディスタント』という小説は明示する。『ディスタント』に登場する、知りあいではない人の部屋を訪れ、恋人のようにして写真を撮るという《Strangers》シリーズは、撮影者と被写体のあいだに横たわる距離を繊細に問いなおす撮影方法をとっている。この撮影方法は他者との距離のとり方の微細な変容をふくむ。だから、私も、読者である私と『ディスタント』のなかで語られる物語のあいだの距離のとり方を変えてみたくなる。私の記憶と小説のなかの記憶を混線させ、読書行為がたもとうとする「境界線」を揺るがすことで、私は自分の懐かしさを壊してみたくなる。[1]

私は、ページをめくり、『ディスタント』の世界にログインする。

1 近現代日本文学研究者の小森陽一は、大江健三郎『懐かしい年への手紙』について書いた「生き生きした記憶ヴィヴィッド・メモリーとしての小説」という論文のなかで、「一人にとっての懐かしさはそれを壊すことで二人にとっての懐かしさとなりえ、二人にとっての懐かしさを壊すことでしか三人のあるいは四人の、そして同世代にとっての懐かしさは生まれてはこない」（小森陽一『小説と批評』世織書房、一九九九年、一八一頁）と指摘している。小森が指摘するとおり、自分にとっての懐かしさが壊れるときこそ、複数人でわかちもたれる記憶が生まれる瞬間である。

ログイン

『ディスタント』の冒頭に置かれた「アメリカの風景」という短編小説では、語り手の「僕」の卒業制作のポートレイトシリーズのモデルになったニルスの「変な夢」という言葉が語り手の「僕」の記憶に働きかける。誰かと一緒に経験することがもっとも難しい「夢」。その「夢」の記憶について話すことから、この小説ははじまる。語り手の「僕」は、ニルスに、「子どもの頃見た夢」について熱心に話す。「子どもの頃見た夢」とは、那覇にある小学校で出会ったクリスとジョシュという双子の少年たち、そのうち、クリスとともに見た「黄金色に輝く草原」、「金色の草原」の「夢」である。そのとき、語り手の「僕」はクリスと「同じ夢」を見たという。『天国の日々』（リチャード・ギア主演、テレンス・マリック監督の一九七八年公開の映画）のなかで描かれた「風景」に触発されて記憶は蘇り、ニルスにははじめて聴く物語として語られる。小学生の頃の「夢」、ニルスに語り聴かせることで蘇るこの「夢」は、「変な夢」というニルスの言葉によって、語り手の「僕」の個人的な記憶のなかで保っていた絶対的な懐かしさを壊される。ニルスが問いかけることによって、語り手の「僕」の記憶は刺激され、アナグラムである「薬くん」という名前で呼んでいた、子どもの頃のクリスとの思い出が想起される。懐かしさを共有しえないはずの、ニルスという他者がいることによって、「僕」の物語は、問われて語り、思い出すという記憶の回路をつくりだす。

いわば、問われ語りとでもいえるような「僕」の物語は、断片的であり、秩序だってはいない。小学生の頃の記憶と、二〇〇一年になって「大阪にある二年制の外語専門学校に通っていた」頃に再会した大学生のジョシュの記憶は、「で、どうなったの」と尋ねるニルスと語り手の「僕」のあいだに、「問われ—語る」という回路をかたちづくることによって、アクセス可能な記憶になってゆく。「僕」ひとりでは思い出せなかったかもしれない記憶の連鎖が、ニルスに問われ、語る繰り返しのなかで、はじまっているのだ。懐かしい記憶は、ポピュラー・カルチャーのさまざまな固有名詞によっても導かれる。それらはある世代の人たちにとって共通の懐かしさを醸しだす。しかし、ニルスが念を押すように、「君が双子といた頃の那覇の町は、もう存在しない」のであり、すでに「町」は変わり、人も変わっている。

ニルスの言葉が示すのは、どれだけ強く想起できる記憶であろうとも、その記憶のなかにある光景はあくまでも記憶に過ぎないという事実である。この事実は、さみしく、かなしいことでもある。あの風景、あの街並み、あの人たちがもはや記憶のなかにしか存在しないのだから。しかし同時に、この世から失われてしまったものや人を私たちは記録することができる。小学生の頃の「僕」

になく、現在の「僕」にあるのは、記録《ログ》を残すという習慣である。

「大阪にある二年制の外語専門学校」に通うようになった頃、語り手の「僕」は「LOMO」というカメラで撮影するようになる。それは記憶《メモリー》と同時に記録《ログ》が残ってゆくということである。なぜ、記録するのか。それは、ある時点を保存し、記憶の索引《インデックス》を作成することにも似ている。もちろん、うまくたどりなおさなければ、記録《ログ》は存在意義を失ってしまうし、思い出さないでいたい記憶にぶつかってしまうことも起こりうる。語り手の「僕」の物語が示すのは、記録《ログ》をとる人となってゆくまでの過程についてである。子どもの頃から青年期に至るまで、語り手の「僕」はさまざまな方法で記録《ログ》を残している。

子どもの頃、私たちは、あまり多くの記録媒体を持ってはいない。壁に描いたクレヨンの絵、家具に貼りつけたシール、画用紙の似顔絵、小学校で書いた作文、友だちとの秘密の手紙、壁新聞、子ども用のスマートフォンのショートメッセージなど、それでも、豊かな記録は残りもするのだ。子どもの頃に記録したものは、散逸したり、細部が失われていたりし、十全に保存されてはいないだろう。だが、やがて、自分の手で表現を見出してゆく「僕」にとって、LOMOというカメラと出会ったことは、ポートレイトシリーズ《Strangers》につながる布石なのだ。かつての子どもが、成長してゆき、ある記録媒体を獲得してゆく物語として、『ディスタント』を読むこともできるのである。

だが、『ディスタント』という小説は、個人の記憶のなかに、たしかな実感を持ったかたちで、歴史的な出来事を刻みつけている。クリスとジョシュのマンションでベートーヴェンを聴いた日は、「慰霊の日」と記されている。「慰霊の日」という言葉は、六月二十三日という日付を想起させるだろう。そして、六月二十三日という日付は、第二次世界大戦における沖縄戦の記憶とつながれ、沖縄が置かれてきた歴史を次々と読者である私の意識のなかに呼びさます。私たちがつかみとるべきはこの瞬間なのだ。[2] 個人の記憶のなかに、不可避的にあらわれつづける歴史的な出来事の記憶。三人の子どもたちは、アメリカ軍の基地がある沖縄で生きている。ミヤギの小説は、個人的な経験のなかに歴史的な出来事の記憶がどのように編み込まれているのかを明らかにしてくれる。『ディスタント』という小説は忘れてはならない歴史をそのなかに響かせているのだ。

2 ヴァルター・ベンヤミンは、「過ぎ去ったものを史的探究によってこれとはっきり捉えるとは、〈それがじっさいにあったとおりに〉認識することではない。危機の瞬間にひらめく想起をわがものにすることである」(鹿島徹訳・評注『[新訳・評注]歴史の概念について』未來社、二〇一五年、四九頁)と指摘している。ミヤギはほかの小説「幾夜」(『すばる』二〇二一年六月号)でも、歴史と向きあう創作を続けている。

ログアウト

二〇二〇年の春、新型コロナウイルス感染症拡大にともない、私は家にこもり、「ファイナルファンタジー」(FF)シリーズがスマートフォンやタブレット向けのアプリケーションとして移入されたこともあり、ずっとゲームばかりする日々を送っていた。ゲーム画面のなかで、かろうじて、「外部」とつながっていたように思う。オンラインでのイベントやZOOMでのオンライン授業や会議は続いていたのだから、「外部」が「FF」だけというはずもなかった。しかし、フィールドを駆けめぐり、冒険をする物語のなかに没入することで、私は、かろうじて、「生」を維持できた。スーパーファミコン、初代プレイステーションの時代には想像がつかないほど、「FF」はオンラインの世界に開かれていた。とはいうものの、私がハマったのは、ただレベルをあげる地味な作業だった。私のなかにも、「FF」についての子どもの頃の経験や記憶があった。しかし、そのときの楽しみ方とは異なる意味で、ロール・プレイング・ゲーム（RPG）で別の誰かの役割《ロール》に没入することが新型コロナウイルス感染症拡大の鬱屈をやわらげることになったのだった。

『ディスタント』の二篇目に収められた小説「暗闇を見る」の冒頭は、「4」という数字からはじまる。私は、通常は「1」からはじまるものではないかと思いながら読みすすめる。さらに読みすすめてあらわれるのは「10」という数字。「4」から「10」へ飛んでいることに違和感をおぼえてページをさかのぼる。やはり、〝章〟や〝節〟の数字ではないようだ。種明かしをしてしまえば、この数字は、小説の〝章〟や〝節〟ではなく、「FF」シリーズの何作目かを示しているのだ。ロール・プレイング・ゲームの世界と現実の世界がリンクしている。

小学六年生になった「僕」（「アメリカの風景」との連続性を持った人物）は、スーパーファミコンで『ＦＦ４』をプレイしている。「暗闇を見る」の冒頭は、「単調な海の青色がしばらく続いた。船が進むままに任せていると、突然船体が揺れてリディアが海に落ち、彼女を助けようとヤンも海に飛び込む」（ミヤギフトシ『ディスタント』、七九頁。以下、ページ数のみを記す）という、『ＦＦ４』の世界を活写した文章からはじまっている。ＲＰＧの世界の活写という方法によって、読者である私は、「アメリカの風景」とは異なる「風景」が広がりはじめていることに気がつく。

　ゲームをプレイしているさいちゅう、友人の「Ｙ」と「和也」に呼ばれて、「僕」は、「赤いマウンテンバイク」で、「さとうきび畑に囲まれた坂道」をのぼり、「港」の方へゆく。『ＦＦ４』の場面にも海と船が描かれており、現実の世界とゲームの世界がリンクし、重なりあってあらわれる小説の構造をかたちづくっている。「僕」が置かれているのは、閉塞感のある「島」での生活であるが、友人たちと「難民船」を見つけに行ったりといった冒険もあり、閉じられた世界にも開口部がぽっかりとあいていることを示している。しかし、『ディスタント』の最後に置かれた小説「ストレンジャー」では、「アメリカの風景」、「暗闇を見る」の語り手と重なる「ジャック」が言わないできた「セクシュアル・アイデンティティ」をめぐる問題が前景化されてゆく。

「ジャック」は、ロール・プレイという言葉が示すとおりに、他者と恋人の役割を演じ、その様子を写真に撮影する「制作」を行うようになる。別の誰かになりきることはできないし、現実の世界にある苦しみや困難は簡単には解消されえない。しかし、かろうじて逃げ出せる「外部」がロール・プレイには生まれる。「僕」とRPGとの関係は、誰かの生を見つめることで、自分が割りあてられている役割をゆるませ、いまの自分が引き受けざるをえない「アイデンティティ」の境界線を解きほぐす営みとしてあらわれている。そして、このロール・プレイ、他者の役を演じることこそ、知りあった人の部屋を訪れ、恋人のようにして写真を撮る《Strangers》シリーズの基本的な撮影方法である。

手順は簡単です。あなたの部屋に僕を呼んでください。そして、あなたと僕、ふたりの写真を部屋で撮らせてください。まるで、恋人同士であるような。

この撮影の目的は、僕たちふたりの間にある種の交流、一時的な関係を構築し、それを写真として記録すること。それは親密なものかもしれないし、ふれあいはとてもささやかなものかもしれません。ただ、ふたりでソ

ファに座っているだけでもいいかもしれません。　（一八四—一八五頁）

「まるで、恋人同士であるような」役割《ロール》を二人は演技《プレイ》する。子どもの頃、RPGで行っていたような役割演技《ロール・プレイ》は、撮影者と被写体という関係の境界を解きほぐすような撮影方法である。[3] だが、子どもの頃とは異なるカメラでの撮影という方法で、「ジャック」と呼ばれるようになった人物（「アメリカの風景」、「暗闇を見る」の「僕」と連続性がある人物）はアイデンティティをめぐる問題と向きあうようになる。では、この変化はなぜ起こりえたのだろうか。大人になったたからという理由だけでは説明しきれない、大きな変化が起きているのではないか。

一つ目は、カメラという記録媒体を「ジャック」が手に入れ、撮影というコミュニケーションの方法を知ったことが、この変化の要因であるだろう。「僕」＝「J」（「暗闇を見る」での「僕」の綽名）＝「ジャック」にとって、撮影とは、作中の言葉を借りていうならば、「居場所」を見出すためのコミュニケーション手段である。「制作」は、まぎれもなく、他者との関係性を切り開くために行われている。ニューヨークという場所で、自分のセクシュアル・アイデンティティとの葛藤と模索のなかで、「ジャック」は「Strangers」シリーズをはじめるのである。

二つ目は、「ジャック」のアイデンティティ形成とかかわる。アイデンティテ

3　ミヤギは自身のホームページの「Strangers, 2005-2006」に寄せたテクスト（「二〇〇六年八月二十一日（月）」という日付あり）のなかで、次のように書いている。

僕のアイデンティティクライシスは、どちらかといえば遅めに起こりました。正確に言えば、23歳と半分。僕はこの問題に取り組もうと決意し、そして、写真という媒体を通してそれを行い、克服しようと試みました。写真を撮るその度に、少しづつ解放されていけたら、と。

　方法は至って単純。全くの他人の部屋を訪ね、そこで二人、僕とその人（男）、の写真を撮る。まるで、僕らが恋愛関係の中にあるようなことを示唆する写真を。そうすることで僕は、自らの『性』に対する絶え間無い疑問に対峙し、そして絶望的な恥ずかしがりをどうにか出来ると考えたのです。誰かの言ったように、これは『周到なカミングアウトプラン』でした。

ィは長い形成プロセスのなかで輻輳性を持ってつねに行為遂行されている。[4] 自分自身になるためには、これまでにつくられてきた、ジェンダー、セクシュアリティ、人種、民族などのさまざまなカテゴリー、そればかりではなく、「集合的な物語」（竹村和子『愛について——アイデンティティと欲望の政治学』岩波現代文庫、二〇二一年、一頁）を引用してはじめて、自分の生をかたちづくってゆける。当然のことながら、アイデンティティは、完結していて、永続的で、揺らがず、他者との相互作用《インタラクション》を一切受けないというイメージで捉えられるのではなく、他者《ストレンジャー》との思いがけない出会いによって、変わってゆく可能性がある。他者《ストレンジャー》があらわれるたびに、自分のアイデンティティが、更新されたり、発見されたり、複数性を帯びたり、発明されたり、時に危機にさらされたりもする。

「ジャック」は、「ストレンジャー」たちに向けて、「ハロー、ストレンジャー」と呼びかける。その言葉は、自分ではない未知の他者への呼びかけであると同時に、未知の自分への呼びかけでもある。「ジャック」は、他者へと呼びかけ、他者の応答や拒絶を経験する。「恋人」という役割《ロール》を演じる「ジャック」は、自分の「作品」が何をもたらすのかは「未知数」だということを知っている。したがって、「ジャック」は、「この制作を通して自分がどのように変化するのか、解放されたような気持ちになれるのか」、自分でも楽しみにしている。あらかじめ目的や結果を定めない撮影において、役割《ロール》は決して固定されていない。

それぞれの写真は曖昧なステイトメントでも、続ける事で、全体としてもっと鮮明なビジョンを造り出す事が出来るはず。（「Strangers, 2005-2006」、二〇〇六年八月二十一日、https://fmiyagi.com/works/4/）

4　ジュディス・バトラー『ジェンダー・トラブル——フェミニズムとアイデンティティの攪乱　新装版』（竹村和子訳、青土社、二〇一八年）を参照。

「ジャック」と被写体は役割を演じながら、相互関係のなかで、新しい物語を生みだしてゆく。「ストレンジャー」という小説が描くのは、「未知数」の自己、思いもよらないような自己との出会いである。見知らぬ他者との出会いによって、自分自身が決定的に変わってゆき、自分自身もまた見知らぬ自己となってゆく過程が、「ストレンジャー」という小説には描かれている。

ログアウト

さて、最後に、クィアな人びとの生存可能性とゲームの関係について話して終わろう。「暗闇を見る」に、インターネットで知りあった「ＥＳ」という人物と語り手の「僕」が出会う場面がある。「ＥＳ」と語り手の「僕」の出会いはTwitterやFacebookが登場する間際の過渡期のインターネット状況としても興味深いが、二人のやりとりで印象的な場面がある。それは、「ＥＳ」と電話をしている場面で、「ファイナルファンタジー」シリーズの登場人物のジェンダーやセクシュアリティについて話す場面である。

ファイナルファンタジーって中性的な敵キャラが最近多いような気がするけど何故でしょう。クジャとかセフィロスとか。

（一二二頁）

「僕」がそういうと、「ES」は、「髪が長いだけではなくて？」と問い返す。だが、すぐに、「ああ、でも『10』にもそんなキャラがいる。まだそこまで進んでないだろうけど。中性的というか、種を超越しているというか……。彼らは皆、父親的存在や母親的存在と屈折した関係を持っている」と「ES」は続ける。これは、現代思想や文学に造詣が深い「ES」らしい分析だと私は思いはじめる。だが、ジェンダーの越境性や「〈超越〉する性」という表象はときにトランスジェンダーの人びとについての誤解も与える。性別二元制という現在の強固な社会規範のなかで、トランスジェンダーの人びとは困難な状況に置かれてしまう。それでも、「ES」と語り手の「僕」のやりとりは、ゲームのなかの登場人物やその世界観が人びとにどれほど大きな影響を与えているのかを教えてくれる。そこに、性、身体、欲望の規範的なあり方を問うような物語があれば、クィアな人びとは生きのびるための可能性をえることができる。数百万、数千万人の人びとが同時代的に受容するポピュラー・カルチャーこそ、多様性が確保されなければならないのである。それにくわえて、「ES」と語り手の「僕」が行っているようなおしゃべりをすることが大事なのだ。自分はこの物語をクィアに読んだ。そして、そう読んだ自分はどういう人であるのか。自分が何を好きで、どうやって生きているのか。それは決してひとつに決まるものでもないし、一度、決定しても、また、変わってゆくし、変えることができる。

私の好きなキャラクターは、□。
私の好きな場面は、□。
私が泣いたのは、□。
私が笑ったのは、□。
私が許せなかったのは、□。
私のジェンダーは、□。
私のセクシュアリティは、□。
私の国籍は、□。
私の人種は、□。
私の年齢は、□。
私の楽しみは、□。
私のなりたいものは、□。 etc…

このリストはいくらでものびてゆくし、述語の部分もいくらでもバリエーションを増やすことができる。また、沈黙することも、いいよどむことも、いわないでいることもありうる。それでも、誰かに伝えたくなったとき、私は、自分の好きなものについて話しはじめる。そして、私がなぜその登場人物や物語に胸をふるわされたのかについて、信頼できる人と意見を交換したくなる。ファイナルファンタジーをプレイしながら、今日一日、こんなことを考えて過ごしたのだというおしゃべりのなかに、ジェンダーやセクシュアリティについての話を何のためらいもなく織りまぜることができたならば、クィアな人びとは生きのびるための場をえることができるだろう。そして、そうなるように社会を変えるために努力をすることが必要なのだ。

差別につながる発言を許さないコミュニティとしてオンラインゲームが変容したら、私たちクィアな人びとはそのなかに居場所を見出せるだろう。そして、その変化はもうすでにはじまっている。「ファイナルファンタジーXIV」には、「禁止事項」と「アカウントペナルティポリシー」が、ガイドラインに補足追加された。そのなかには、「ハラスメント行為」として、「人種／国籍／思想／性別／性的指向・性自認に基づく差別的表現」、「国家／宗教／職業／団体などへの差別的表現」という文言が含まれている。[5] 私はそのハラスメントを許さない態度表明に大きな希望を見出す。

ミヤギは、近年の「FF」シリーズについて論じた「『FINAL FANTASY X』『FINAL FANTASY XV』余地のある世界」のなかで、「クィアのキャラが出てくれれば良いわけではなく、どれだけクィアの人々がそのキャラクターに思い入れを抱いたり、その世界に居場所を見出せるか……」が大切だと述べ、「だか

5 「よくあるご質問」の「ファイナルファンタジーXIVで禁止されている行為について教えてください」SQUARE ENIX ホームページ、https://support.jp.square-enix.com/faqarticle.php?kid=68216&id=5381&la=0&ret=rule。

らこそ、規範にすんなり収まらないFFシリーズのヒロインたちに私は勇気付けられたし、イグニスのような揺らぎを抱えたままのキャラクターにも安心感を覚えてきた」と書く[6]。『FFⅩⅤ』のイグニスに共感しながら、ミヤギは、「RPGのクィアキャラにエンパワーされる若者がいる、そんな未来もきっと近いはずだと信じたい[7]」と結ぶ。

『ディスタント』の語り手は、いつも、問われて、語る。問われ、語るなかで記憶があふれだす。懐かしい昔についての物語は新たな聴き手をえて、別の意味を持ちはじめる。ちりばめられた固有名詞は過去への索引であり、同時に現在を生きるための手がかりなのだ。ポピュラー・カルチャーは、同時代に生きた人びとに懐かしさを生みだす。

『FFⅧ』、プレイした？

したよ。

どうだった？

おもしろかった。

どのキャラが好きだった？

魔女イデア。

どの場面が好き？

フェイ・ウォンの歌が流れる場面。私はシンガーになりたいと思った。声変わり

6 「ミヤギフトシ連載18：『FINAL FANTASY X』『FINAL FANTASY XV』余地のある世界」『美術手帖』ホームページ、二〇一八年五月十六日、https://bijutsutecho.com/magazine/series/s2/15000。

7 ミヤギ、前掲論考。

がはじまっていたけど。あなたはスクールが好きでしょ？　好みのタイプよね？
そう。好み。大好き。そのとき、何してた？
学校に通ってた。毎日、早く家に帰りたかった。　etc…

たとえば、ここには、問われ語りの回路が開いている。たえまない、おしゃべりのなかで、自分たちのクィアな物語を見出す。それは希望ではないだろうか。『ディスタント』のなかで繰り返される問われ語りはその答えが決まっているような（あるいは決めなければいけないような）問答ではない。そうではなくて、終わることないおしゃべりの心地よさ。そのようなおしゃべりの愉楽は、私とあなたの境界線を少しずつずらしてゆく。記憶をわかちもち、新しい懐かしさを生みだしてゆくだろう。日常生活のなかにあるゲームやおしゃべり、そうした見過ごされがちな文化にこそ、現在を変容させ、未来を変える可能性はあるのだ。[8]

＊　本論文は小森陽一「『風の歌を聴け』――ON・OFF回路を超えて」（小森陽一『小説と批評』世織書房、一九九九年）の論文の形式から着想をえた。また、引用したURLはすべて、二〇二二年十月十二日に最終閲覧した。

8　鈴木みのりは、『文藝』での『ディスタント』の書評で、「生活の中のささやかな出来事」を話すことについて、次のように指摘している。

恋愛、友情、家族のような「親密さ」をめぐる話は、なかなか深掘りして話しにくい。友人など近しい相手にならできても、仕事つながりの場だと、避けたり。生活の中のささやかな出来事や、セックスが絡んでくると、内実の説明に言葉が尽くせない場合が多い。論理が及ばないところがある。他方、「彼氏・彼女がいるのかどうか？」「結婚はまだか？」といったような話題は日常的に出てきて、時に職場でも許されたりもする。恋愛体験や家族形成を「親密さ」の領域ではなくて「社会的に当たり前の」とするからこその素朴な疑問、トピックと捉えているからだろう。

（鈴木みのり「感情を言語化するまでの距離――ミヤギフトシ 著『ディスタント』書評」二〇一九年五月二十日、https://web.kawade.co.jp/bungei/2627/）

女同士の絆を未来につなぐ，
後ろ向きのノスタルジックな眼差し――
ミヤギフトシ「幾夜」におけるクィア・ユートピアニズム

シュテファン・ヴューラー

クィアネスに触れることは一生ないかもしれない。
しかしそれでも感じることが出来る、
可能性に満ちた地平線を照らす光として。

ホセ・エステバン・ムニョス『クルージング・ユートピア（Cruising Utopia）』

はじめに

危機にあって、より傷つけられやすい《ヴァルネラブルな》人はさらに傷つけられやすくなる。コロナウイルスの世界的流行など、過去や現在進行中の危機からわかるように、わたしたちの生きている世界が不均衡に生みだしている傷つけられやすさは、緊急事態のときさらに深まってしまう。清水晶子がジュディス・バトラーを援用しながら書いているように、「身体化された存在としての私たちは〔……〕自分一人で生存を維持することはできず、〔……〕生き延びるためには身体は不可避的にそれ自身ではないものとの諸関係に開かれ／晒されていなくてはならず、したがってあらゆる身体は必ず傷つけられやすい」[1]。だが、経済的困窮、医療や教育へのアクセス制限、家庭内暴力など、――たとえ世界的規模の危機が起きていなくても――女性や性的マイノリティ、有色人種や障がい者は、こ

1 清水晶子「埋没した棘――現れないかもしれない複数性のクィア・ポリティクスのために」『思想』一一五一号、二〇二〇年三月、三九―四〇頁。

料金受取人払郵便

綱島郵便局
承　認
2149

差出有効期間
2024年4月
30日まで
(切手不要)

郵便はがき

223-8790

神奈川県横浜市港北区新吉田東
1-77-17

水声社 行

御氏名(ふりがな)	性別 男・女	年齢 才
御住所(郵便番号)		
御職業	御専攻	
御購読の新聞・雑誌等		
御買上書店名	書店	県 市 区　町

読　者　カ　ー　ド

お求めの本のタイトル

お求めの動機

1. 新聞・雑誌等の広告をみて（掲載紙誌名　　　　　　　　　　）
2. 書評を読んで（掲載紙誌名　　　　　　　　　　）
3. 書店で実物をみて　　　　4. 人にすすめられて
5. ダイレクトメールを読んで　　　　6. その他（　　　　　　　　）

本書についてのご感想（内容、造本等）、編集部へのご意見、ご希望等

注文書（ご注文いただく場合のみ、書名と冊数をご記入下さい）

[書名]	[冊数]
	冊
	冊
	冊
	冊

e-mailで直接ご注文いただく場合は《eigyo-bu@suiseisha.net》へ、ブッククラブについてのお問い合わせは《comet-bc@suiseisha.net》へご連絡下さい。

うした問題に晒されやすい。言い換えれば、わたしたちが生きている世界は、常にすでにディストピア的であった。ただコロナ以前の「ノーマル」に戻るだけでは不十分であるのは、そのためである。わたしたちは、それとは別の未来を想像しなければならない。この不均衡に立ち向かい、現在進行中の危機のみならず、ジェンダー、セクシュアリティ、人種、階級や障がいの有無をめぐって行われている傷つけられやすさの不均衡な分配の向こうへと導いてくれるもう一つの、オルタナティヴな世界のイメージを、わたしたちは必要としている。ミヤギフトシが二〇二一年に発表した小説「幾夜」[2]が提示しようとしているのは、このようなイメージである。

「幾夜」は沖縄出身で東京に住む若い女性・小波蔵千代の、アジア太平洋戦争の経験を描いた物語である。文芸評論家の川口好美は、表面的な分析にとどまって、『週刊読書人』のウェブ版に寄せた寸評でこの小説を教養小説として読んでいる。川口によれば、「幾夜」は、階級的特権とでもいうべきもの、すなわち、家族のもつ文化的・経済的資源により、わずかにせよ他の人より安楽に戦争を乗り切ることができたことに、千代が気づいていく過程を描いているという。[3] 確かにこの気づきは、東京大空襲で家を焼かれた後、千代とその叔父と叔母と同居することになる、[4] 同じく沖縄出身のカナとの関係において重要な転換点である。しばらく千代の家族と同居していたカナは、ある日、突然鬱積

2 ミヤギフトシ「幾夜」『すばる』六月号、二〇二一年、八三―一二七頁。
3 川口好美「呼吸を共にし、賦活する――文学作品の真価は答えではなく問いの深さ」『読書人WEB』、https://dokushojin.com/reading.html?id=8193（二〇二一年三月一日）。
4 ミヤギ「幾夜」、七七―七八頁。

した不満を爆発させ、自分が嫌でも千代の家族に依存して生きてきたのは、空襲のためだけではなかったと千代に吐露する。カナと千代の家族の間には、以前から経済的格差が存在しており、空襲で亡くなったカナの父は、生前繰り返し千代の叔父に金銭的な援助を頼まざるを得なかったのである。[5] 具体的な因果関係はミヤギの小説の中では示されないが、経済的にも文化的資源にも恵まれた家に育った千代が高等女学校卒業後に自由教育の先頭にあった文化学院に進学し、叔父の伝手で出版社に就職したのに対し、[6] カナが女学校を卒業するとすぐに地下鉄の車掌として働き始めたのが、[7] この格差による機会の違いといえよう。[8]

しかし、川口の直線的な読解は、この小説の重要な側面をいくつか見落としている。第一に、ミヤギの焦点は、千代によるこのような差異への気づきよりも、ジェンダー・セクシュアリティ・階級・人種といった属性の交錯によって形成される女性の経験の重層性に当てられている。それのみならず、差異や格差を軽視するのでも、上塗りするのでもない女性同士の連帯の可能性に光を当てているのである。例えば千代は、「色黒」[9] で「垢抜けない」[10] 沖縄人として差別やマイクロ・アグレッション、排除を経験しているが、[11] 出身地を疑われることのない容姿で日本人として通るカナには、これらの経験は共有されない。[12] これは、千代の文化学院時代からの友人で、隣に立つと彼女の白い肌が「際立つ」

5 ミヤギ「幾夜」、一一〇頁。
6 ミヤギ「幾夜」、八二頁。
7 ミヤギ「幾夜」、七七頁。
8 ミヤギ「幾夜」、四四、八二頁。
9 ミヤギ「幾夜」、四七頁。
10 ミヤギ「幾夜」、四四頁。
11 ミヤギ「幾夜」、四三、六六―七頁。
12 ミヤギ「幾夜」、七七頁。

と千代が気がかりになる雪子も同様である。[13]雪子と銀座のビアホールを訪れたとき、千代が雪子よりも周囲の視線を意識してそわそわしていたのは、――男性に限定されている空間に女性として入ること以外に不安要素のない雪子と違って――やはり雪子の隣にいると自分の肌の黒さが「際立つ」と不安になったからだと解釈できる。[14]重要なのはしかし、それでも千代と雪子が親密な関係を結ぶことである。それのみならず、雪子は、自分の肌の白さがもたらす特権に無自覚だったことに気づき、千代に謝る。[15]

同様に、千代に経済的格差を意識させたカナの怒りの爆発は、千代による連帯の表明によって受け止められている。心情を吐露した後、カナが千代の叔父のもう一人の下宿人である金城からハラスメントを受けた旨をほのめかすと、千代はカナの手を取り、金城をどうにかすると約束する。だが、千代の手がカナに「冷た」く感じられ、そう言われた千代は、すぐさま手をまた引っ込めてしまう。[16]千代が連帯を表明するこの場面は、こうして、二人の間にはなお一定の距離が残ることも暗示される。二人とも同じく女性でありながら、同じ経験をしている女性ではない。それにもかかわらず、あるいはだからこそ、あなたとともにいる。ミヤギの小説がここでもまた肯定しているのは、このような、敢えていうなればインターセクショナルな連帯といえよう。[17]

第二に、千代にとってもっとも重要な人間関係は、カナよりも、雪子との親

13 ミヤギ「幾夜」、四七頁。
14 ミヤギ「幾夜」、六七頁。
15 ミヤギ「幾夜」、七五頁。
16 ミヤギ「幾夜」、一一一頁。
17 インターセクショナリティについては、以下を参照されたい。清水晶子「『同じ女性』ではないことの希望――フェミニズムとインターセクショナリティ」『多様性との対話 ダイバーシティ推進が見えなくするもの』青弓社、二〇二一年、一四五―一六四頁。

密な絆である。これは肌の色の違いや深刻化していくアジア太平洋戦争がもたらす様々な苦難によって複雑化しながら、ついに異性愛規範により破綻してしまう、友情とは別の、クィアな絆でもあるのだ。

そして第三に、千代と雪子は異性愛規範と軍国主義に支配されているディストピア的な日々を生きながら、親密なユートピア的空間を儚くも切り開くことができる。その方法として、ミヤギは、時には痛ましい物語／歴史《（ヒ）ストリーズ》に潜むクィアな可能性に耳を傾ける、クィア・リーディングのような実践を提示している。そして、同じような振り返り《レトロスペクション》の実践は、雪子との親密な関係が破綻した後、孤独な現在を乗り越え、希望の地平、別の未来を想像することを千代に可能にするのでもある。「幾夜」は、したがって、直線的な教養小説ではなく、希望についての——方法論とすら呼べそうな——多層的でクィアな物語である。それは言い換えれば、クィアな存在が、クィア理論家のホセ・エステバン・ムニョスに倣っていえば、ユートピア的可能性を体現し、よりよい未来へと導いてくれる物語なのである。[18]

クィア・ユートピアニズム

ムニョスが『クルージング・ユートピア（Cruising Utopia）』（二〇〇九年）で述べ

18 Jose Esteban Muñoz, *Cruising Utopia: The Then and There of Queer Futurity*, New York University Press, 2009, p. 1.

たように、「私たちは〔……〕別の存在様式、最終的には別の世界のあり方を夢見て、実践しなければならない」。なぜなら、「クィアネスはいまだに到来していないからだ。クィアネスは理想だ」からである。[19] だが、ムニョスがすぐに付け加えるように、「クィアネスに触れることは一生ない」としても、「可能性に満ちた地平線を照らす光として」「感じることが出来る」のである。[20] ムニョスにとってクィアネスは、そのジェンダーやセクシュアリティにおいて非規範的な存在があらゆる権利を剥奪されている今ここではないどこかでの、人間とその社会的諸関係の新しいあり方、そして同時に、そうした未来の「実現のために、それにむけて働きかける」[21] こと、その両方を意味している。したがって、クィアであるということは、例えばリー・エーデルマンなど、クィア理論のいわゆる「反社会派」に属する理論家が主張するように、未来の欠如もしくは未来の否定を意味するわけではない。

確かに、家庭、生殖、育児や老後などをめぐる規範的なナラティヴ──エーデルマンのいう「再生産的未来主義（reproductive futurism）」の強制的なナラティヴ[22]──には、近年法制化が進んでいる同性婚での同化を除けば、クィアな存在として登場できる場面がほとんどない。しかし、未来への「正しい」道のりを規定するこの異性愛規範的なナラティヴにおいてクィアな存在の居場所がないからクィアな人はむしろこの未来のなさを肯定すべきだという、エーデルマン

19　Muñoz, *Cruising Utopia*, p. 1.　本稿における翻訳は筆者による。そうでない場合は注にて明記する。
20　Muñoz, *Cruising Utopia*, p. 1.
21　Muñoz, *Cruising Utopia*, p. 1.
22　Lee Edelman, *No Future: Queer Theory and the Death Drive*, Duke University Press, 2004, p. 21.

の結論には問題がある。なぜなら、「再生産的未来主義」がクィアな存在に押し付ける未来の否定という構成的外部の位置にクィアな人が堂々と同一化し、敢えてその否定性を体現することが社会的秩序を内部から掘り崩しうるもっとも撹乱的な対抗手段であるというエーデルマンの主張は[23]、社会的諸関係の外部において他を頼らず生存を維持することができるという、健常主義的でネオリベラルな幻想に依拠しているためである。さらに、エーデルマンによる否定性の賞賛は、異性愛規範的な内部の変革が、外部への同一化こそ撹乱であるという図式において不可能なものとして棄却されてしまう。それればかりか、クィアな人たちの間に存在する多様性——例えばゲイ男性とレズビアン女性の間に存在するような差異が——クィアな否定性の名の下で一緒くたにされ打ち消されてしまう。エーデルマンは、つまり、異性愛規範的なナラティヴにおいて常に行われているのと同じ否定を自ら行ってしまう。それは、内部におけるもう一つの、オルタナティヴな未来の可能性と、クィアな生と歴史の多様性の否定である。ムニョスがクィアであることをよりよい未来の可能性を指し示すものとして設定するのは、まさしくエーデルマンのこれらの否定に対する異議申し立てとしてである[24]。

では、いまここよりクィアな未来を想像し、実現するにはどうすればよいのか。ムニョスによれば、よりクィアな未来に近づいていくためには、過去を批

23 Edelman, *No Future*, p. 3-4, 16-8, 27.
24 Muñoz, *Cruising Utopia*, p. 13-4, 18.

判的に振り返ることが必要であるという。具体的にそれは、文化的テクストのもつクィアな潜在力《ポテンシャル》、すなわちそのテクストには「在るが、現在形では顕れていない」もの——「かの時点においては、完全に顕在化していなかった」もう一つの過去の亡霊的現前——に注意を払うクィア・リーディングを通じて実践される。[25] エルンスト・ブロッホの『希望の原理』を援用しつつムニョスが指摘するように、過去の「もはや意識されないもの」——かの時点では顕在化し得なかった可能性——に目を向けることは、「いまだに来らざるものを理解するための批判的解釈学[26]」を可能にする。言い換えれば、そのテクストに亡霊のようにまとわりついているもう一つの過去の可能性に注目する眼差しは、同時によりクィアな未来の可能性を照らし出す希望に満ちた光線となり、現在わたしたちが生きている世界の有り様の必然性に疑問を投げかけ、変革を想像する余地を作り出すのである。[27]

この新たな「未来のビジョンを方向づける後方への眼差し[28]」は、しかし、過去を美化するノスタルジアとはまったく別物である。というのも、その眼差しがもたらすもう一つのよりよい未来への希望は、オルタナティヴな過去の可能性が——そこに在ったにもかかわらず——常に既に失われていたことと、その喪失が過去のクィアな人々にとって意味していた周縁化、排除、迫害の痛ましい歴史を想起させられることと表裏一体だからである。とはいえ、ノスタルジ

25 Muñoz, *Cruising Utopia*, p. 9.
26 Muñoz, *Cruising Utopia*, p. 12.
27 Muñoz, *Cruising Utopia*, p. 22.
28 Muñoz, *Cruising Utopia*, p. 4.

アそれ自体が問題であるというわけではない。むしろ、スヴェトラーナ・ボイムに倣って、「省察的ノスタルジア（reflective nostalgia）」と「復古的ノスタルジア（restorative nostalgia）」を区別する必要がある。ニシャント・シャハーニが総括するように、「復古的ノスタルジア」は、「失われた原点を取り戻すことと、本質の追求に囚われており」、現在の再生産としての未来の「正当な」基盤として、理想化される過去の反動的な再建という形をとる。[29]対して、「省察的ノスタルジア」は、過去に経験した苦痛に留まり、「希求と喪失」の間をたゆたうことである。すなわち、歴史の残骸の間に散らばる「時間と歴史の廃墟とパティナと、いまここではないどこかへの夢の間に、名残惜しそうにうろつく」ことである。[30]ムニョスの「後方への眼差し」、そしてシャハーニの打ち出した「クィア・レトロスペクション」という類似している実践を特徴付けているのは、この後者のノスタルジアである。シャハーニが述べるように、歴史から締め出されること――サラ・アーメッド曰く「過去を受け継ぐことが」クィアな人々にとって「自分の抹消を受け継ぐことを意味する」[31]世界を生きること――がもたらすトラウマは、亡霊のように「正典」の歴史にまとわりつく幻想的な余剰、実践され（え）なかったあらゆるクィアなあり方の可能性と失われた（歴史の中での）居場所への希求を生み出す。[32]重要なのは、クィアな存在が抹消されたその歴史的「現場」に立ち戻り、廃墟や亀裂としての小さな自分の歴史の破片を

29 Nishant Shahani, *Queer Retrosexualities: The Politics of Reparative Return*, Lehigh University Press, 2012, p. 11.
30 Svetlana Boym, *The Future of Nostalgia*, Basic Books, 2001, p. 41. Shahani, *Queer Retrosexualities*, p. 11.
31 Sarah Ahmed, *Queer Phenomenology: Orientations, Objects, Others*, Duke University Press, 2006, p. 178. Shahani, *Queer Retrosexualities*, p. 162.
32 Shahani, *Queer Retrosexualities*, p. 157.

振り返って「名残惜しそうにうろつく」ことが、クィアな生とその無数の小さな歴史をかき消してきた暴力の責任を「正典」の歴史に問うという、いわば事実確認的なプロセスとしてのみ意味をもつわけではないということである。というのも、同時にそれは、「違う未来のために歴史の残骸[33]」を組み合わせ直す、ある種の行為遂行的《パフォーマティヴ》なプロセスをも可能にするからである。それはしかし、原風景のような原初的全体性を取り戻そうとする直線的な試みではなく、歴史から締め出された結果生まれた余剰＝希求を微かな「もしも」として、打ち砕かれたクィアな歴史の、小さな無数の破片の間に埋め込んでつなぎ合わせてみる、常に未完成の、仮定法でのプロセスである。そしてこのプロセスが最終的にユートピア的実践として立ち現れるのは、「正典」としての「歴史の横に置かれる、想像しうるものだけではなく、達成しうるものをも指し示す、回顧的《レトロスペクティヴな》アーカイヴを構成する[34]」という、その行為遂行的な効果においてである。

「幾夜」においてミヤギフトシも、同様の「後方への眼差し」を実践している。本作は主に二つのテクストを中心に構成されている。一つ目は、日本人の母とイギリス人の父の間に生まれたユキというダブルのダンサーが、アメリカ人のお金持ちジャックと複雑ながらも結局は幸せな結婚生活を送る、十九世紀末日本を舞台としたウィニフレッド・イートン（一八七五―一九五四年）による『夜啼鶯《よなきうぐいす》（A Japanese Nightingale）』（一九〇一年[35]）という小説である。もう一つは、

33 Shahani, *Queer Retrosexualities*, p. 13.
34 Shahani, *Queer Retrosexualities*, p. 161.
35 タイトルの和訳はミヤギによる。ミヤギ「幾夜」、五〇頁。

アジア太平洋戦争中に大日本帝国が連合国向けに放送した英語のプロパガンダ番組「ゼロ・アワー」と、「東京ローズ」と呼ばれていたその女性アナウンサーの一人として終戦後知られるようになった日系アメリカ人のアイバ・トグリ・ダキノ（一九一六―二〇〇六年）のライフストーリーである。これらのテクストがミヤギの小説の中でいかに振り返られ、またアジア系アメリカ人の歴史への振り返り《レトロスペクション》を通じて――上に挙げたいずれのテクストのみならず「幾夜」においてこそ中心となる――人種とジェンダーのヒエラルキーの歴史的交錯の生み出す問題が、物語内世界の現在においてどう交渉され、そしてその交渉により物語内世界がどのようによりクィアな未来へとひらかれていくのかについて、以下に見ていきたい。

『蝶々夫人』を振り返って

ウィニフレッド・イートンの『夜啼鶯』の歴史的重要性は、本作がアジア人女性にもう一つの未来の可能性を切り開こうとする、『蝶々夫人』のフェミニズム的翻案として読めることにある。テレサ・デ・ラウレティスが論じたように、ジャコモ・プッチーニのオペラがその決定版となった『蝶々夫人』は、「ジェンダー、人種と政治的支配のヒエラルキーに基づいた究極のオリエンタリズム的ファンタジー」[36]である。アメリカ人の海軍士官が長崎滞在中に結婚した日本人女性を捨て、戻ってきたかと思えば二人の間に生まれた子供を奪い取りに来ただけで、最終的に彼女を自殺に追い込むこの物語が、日本を十九世紀末ジャポニスム風にエキゾチックに描く点のみならず、スーザン・ネイピアの言うように「（かなり野暮ったい）西洋人男性への愛のためにすべてを犠牲にする、従順で性的に利用可能なアジア人女性というステレオタイプ的なイメージ」[37]を提示している点も多くの論考で示された。その意味で『蝶々夫人』は、モーリーン・ハニーとジーン・L・コールが指摘したように、「西洋の支配と優越」[38]の物語として読まれてきた。

　受動的な慎み深さと自己犠牲的なナイーヴさをもって、蝶々さんは西洋の白人男性に性的主体性と人種的優越感を感じさせ[39]、精神分析的用語を使うならば男性主体の「去勢恐怖」を和らげるフェティシスティックな他者である。[40]『蝶々夫人』の創作当時、その恐怖とは、一方では、女性参政権運動と「新しい女」[41]、もう一方では、人種差別と植民地支配を正当化するために動員された「黄禍論」の中心にあった、西洋を蹂躙するアジア人男性の大群というイメージにより掻き立てられたものである。[42]蝶々さんは、したがって、女性とアジア諸国がグローバルなステージにおいて次第に独立を主張し権威を確立させ、西洋の経済がアジア系移民による労働力に依拠していた時代に、ジェンダーと人種のヒエラ

36 Teresa de Lauretis, *Figures of Resistance: Essays in Feminist Theory*, University of Illinois Press, 2007, p. 140.

37 Susan J. Napier, "The Dark Heart of Fantasy: Japanese Women in the Eyes of the Western Male," *From Impressionism to Anime: Japan as Fantasy and Fan Cult in the Mind of the West*, Palgrave Macmillan, 2007, p. 104.

38 Maureen Honey and Jean Lee Cole, "Introduction," *Madame Butterfly and A Japanese Nightingale*, Rutgers University Press, 2002, p. 5.

39 Carmen Birkle, "Orientalisms in 'Fin-de-Siècle' America," *American Studies* vol. 51, no. 3, 2006, p. 339. Napier, "The Dark Heart," p. 109.

40 de Lauretis, *Figures of Resistance*, p. 136.

41 Napier, "The Dark Heart," p. 110–111. Birkle, "Orientalisms," p. 324.

42 Gina Marchetti, *Romance and the Yellow Peril*, University of California Press, 1993, p. 2, 80.

ルキーにおけるこの変化が不安定化させた白人男性の「優位性」の幻想的再建を可能にした「都合のいい」他者として理解することができる。

蝶々さんの原型である、ピエール・ロティのベストセラー『お菊さん』（一八八七年）の主人公・お菊さんが、決して慎み深く従順で可憐な女性ではないことからもこれは明らかである。蝶々さんと同じくいわゆる現地妻として娶られたお菊さんは、デ・ラウレティスが指摘したように、本作の視点人物であるフランス人の夫には常に「不機嫌で、気だるそうで、よそよそしく」見え、[43]ついに結婚が失敗して彼が去った後、まるで得した取引でしかなかったかのように、交際中に夫から受け取ったお金を嬉しそうに調べる。[44]言い換えれば、お菊さんと日本は、最後まで手に負えない、相手を寄り付かせない自己中心的な他者である。自律性と対抗的な主体性を暗示するこの「無愛想な」アジア人女性の描写が同世代の人に不安を抱かせたことは、お菊さんが――ジョン・ルーサー・ロングの短編小説『蝶々夫人』（一八九八年）とデーヴィッド・ベラスコによるその戯曲版（一九〇〇年）において――「蝶々さん」への変身を経て、一九〇四年にジャコモ・プッチーニのオペラに登場したとき、お菊さんの撹乱的なよそよそしさが完全に消えていたことから窺えるだろう。[45]

だが、中国系アメリカ人作家のデイヴィッド・H・ウォンの戯曲『M・バタフライ』（一九八八年）を待つまでもなく、蝶々さんが自殺する悲劇のヒロイン

43 de Lauretis, *Figures of Resistance*, p. 125.

44 Pierre Loti (Laura Ensor [trans.]), *Japan (Madame Chrysanthème)*, Frederick A. Stokes Company, 1920, p. 319.

45 de Lauretis, *Figures of Resistance*, p. 125. Napier, "The Dark Heart," p. 108.

に生まれ変わるベラスコの戯曲が発表された翌年に、中国系カナダ人のウィニフレッド・イートンは、このオリエンタリズム的なアジア人女性の表象を問い直し、アジア人女性に自己決定権と主体性を還元する作品を発表した。そう、ミヤギフトシの「幾夜」の冒頭から主人公の千代が雪子と一緒に翻訳しながら読んでいく『夜啼鶯』という小説である。[46]

現代的な視点から見ると、『夜啼鶯』もオリエンタリズム的でエキゾチックな描写の域を出ない。ダイアナ・バーチャルが強調するように、この小説の「もっとも時代遅れでぎこちない要素の一つ」である主人公ユキの話すピジン英語は特にそうである。[47]「幾夜」の千代と雪子もこの点に気づく。ジャックが仲人を介してユキに最初のプロポーズをする『夜啼鶯』の第二章まで読んだところで、千代は批判を込めて次のように言う。

今のところ出来の良い物語には思えない。それにユキの英語はひどいもので、それは必ずしも日本人がしがちな間違いではなく、おそらく空想の崩れた英語だった。これ見て、と私は開いたページ、彼女の台詞を指差す。You wan' make liddle bit talk ad me、雪子は声に出してそれを読んで、鼻で笑う。馬鹿にされたものだね。向こうで生まれて、日本のこと知らない人なのかな。[49]

46 ミヤギ「幾夜」、三八頁。Winnifred Eaton, "A Japanese Nightingale," *Madame Butterfly and A Japanese Nightingale: Two Orientalist Texts*, Rutgers University Press, 2002, p. 81.

47 Diana Birchall, *Onoto Watanna: The Story of Winnifred Eaton*, University of Illinois Press, 2001, p. 57.

48 Eaton, "A Japanese Nightingale," p. 90-96.

49 ミヤギ「幾夜」、五一頁。

『夜啼鶯』の冒頭で、ユキが「琴と三味線の不思議な、とても魅惑的な音楽」[50]に合わせて「嵐の舞」を披露するシーンと、東京湾に浮かぶ「妖しげな月明かりに照らされては東洋のマーリンの魔術と言われても信じてしまいそうな」小さな島というこの場面の設定も同様に、そのオリエンタリズム的誇張ゆえ、千代と雪子の笑いを誘う。[51]しかし、批判的な眼差しを向けられるのは、このエキゾティシズム的な眼差しとユキのピジン英語だけではない。ジャックを視点人物に設定したこの小説は、ハニーとコールのいうように、ユキの心情や考えが見えづらく、そのため彼女の「〔卑屈に〕身をかがめる姿勢、甘言で〔ジャックから〕お金を騙し取ろうとする素振り、そして性的積極性」は何よりもまず慎み深い「蝶々さん」と狡猾で謎めいた「ドラゴン・レディ」というアジア人女性の典型的なステレオタイプを連想させ、[52]ユキを一方では自意識のない「子供っぽい玩弄物、もう一方ではジャックのお金にしか興味がない玉の輿狙い」[53]に仕立て上げる。「幾夜」でミヤギもこの点を見落とさない。ユキが新しく買ってもらった服を盗まれたという口実でまたもジャックから金を巻き上げようとする場面を読んだところで、雪子はさも賞賛するように、「ユキ、なかなかやるね。取れるだけふんだくってやるといいんだよ」と笑いながら述べる。[54]

50 ミヤギ「幾夜」、四三頁。Eaton, "A Japanese Nightingale," p. 85 ("the weird, wholly fascinating music of the koto and samisen").

51 ミヤギ「幾夜」、一九頁。Eaton, "A Japanese Nightingale," p. 85 ("in the sorcerous moonlight, one might easily believe it the witch-work of Oriental Merlin").

52 Honey and Cole, "Introduction," p. 7.

53 Honey and Cole, "Introduction," p. 7.

54 ミヤギ「幾夜」、五六頁。Eaton, "A Japanese Nightingale," p. 108.

人種をパフォームする
――オノト・ワタンナとしてのウィニフレッド・イートン

しかし、イートンがこうして十九世紀末に日本文化とみなされていたものに魅了されていたアメリカ人読者の欲望に応え、「ドラゴン・レディ」と「蝶々さん」というアジア人女性のオリエンタリズム的なステレオタイプの形成に手を貸した一方、[55]イートン自身によるいわば人種のパフォーマンスと同様に、それとは一線を画する側面もある。先述したように、イートンは中国系カナダ人であったが、日系貴婦人のオノト・ワタンナというペルソナをかぶり作品を発表していた。日本人の知人の助けを得ながら、着物で外出したり、日本語で本にサインしたり、偽物の自伝まで発表したりし、徹底して日系人を演じようとしていた。[56]それは、カルメン・バークルによれば、「エキゾティシズムに魅せられた読者の要求に応えて自らの外見を売りにしようとする」戦略であったという。[57]イートンが作家として活躍していた世紀転換期アメリカは、当時のヨーロッパ同然、ジャポニスムが大流行中であった。しかし同時に、中国人に対する差別や暴力も激しかった。一八七五年の「ページ法」、一八八二年の「中国人排斥法」とそれを十年延長した一八九二年の「ギアリー法」といった、中国人労働者の入国を厳しく禁止する法律や、中国人との異人種間結婚を禁じる法律などは、

55 Honey and Cole, "Introduction," p. 5.
56 Matsukawa Yuko, "Onoto Watanna's Japanese Collaborators and Commentators," *The Japanese Journal of American Studies*, vol. 15, 2005, p. 32-36, 42-44.
57 Birkle, "Orientalisms," p. 330.

当時の中国人に対する差別を反映し、助長した。[58] その上、イートンはいわゆる「混血児」として、当時のアメリカ社会において「芸術はおろか、理性的思考すらままならない『雑種』、人間以下の存在」とみなされていた。[59] オノト・ワタンナというペルソナは、したがって、現代的視点からすれば確かに問題含みな文化的領有でありながら、人種差別の激しかった二十世紀初頭に照らせば、有色人種の女性作家として地位を確立させ、経済的安定を得るための生存戦略ともいうべきだろう。『夜啼鶯』が複数の言語に翻訳され、一九〇三年には舞台化、一九一八年には映画化され、またイートンが一九一〇年代まで日本をテーマにしたベストセラーを連発し、映画脚本家としても活躍し[60]、アジア系アメリカ人女性作家の先駆的存在となったことを考えれば、この戦略は大成功だったといえよう。

　ヴィエット・タン・グエンが指摘するように、ウィニフレッド・イートンの作品に対する学術的評価は、一九七〇年代にイートンが再発見されてからしばらく、文化的領有を行ったご都合主義的な「偽物」という批判に規定されていたが、このような評価は、オノトとしてのイートンが彼女の多くのきょうだいと違って白人としてパスすることをあえて選択しなかった点を見落としているのみならず、「正しい」アジア人としてのあり方を想定する人種的本質主義に依拠しているものでもある。[61] イートンは、ダブルであることを公言し、スイ・

58 Jean Pfaelzer, *Driven Out: The Forgotten War Against Chinese Americans*, University of California Press, 2007, p. 335. Deenesh Sohoni, "Unsuitable Suitors: Naturalization Laws, and the Construction of Asian Identities," *Law & Society Review*, vol. 41, no. 3, 2007, p. 587.

59 Honey and Cole, "Introduction," p. 6.

60 Matsukawa Yuko, "Winnifred Eaton: Overview," *Reference Guide to American Literature* 3rd, St. James Press, 1994, https://link.gale.com/apps/doc/H1420002508/GLS?u=viva_mwc&sid=bookmark-GLS&xid=4eeb9ca3 (2022/09/02). 上田奈央「ジャポニズム小説がもたらした日本人女性表象」『龍谷大学大学院国際文化研究論集』第一二号、二〇一五年、一二頁。

61 Viet Thangh Nguyen, *Race and Resistance: Literature and Politics in Asian America*, Oxford Univ. Press, 2002, p. 34-36.

シン・ファーというペンネームで中国系アメリカ人の生活と苦難を「正直に」描いた姉のイーディスに、研究者がみた「よき」アジア系アメリカ人でもなければ、「歪めて描いて利用するときだけ人種を意識する」ご都合主義的で「ダメな」アジア系アメリカ人でもない。[62]グエンが示したように、イートン姉妹のいずれの作品と自己演出も、人種のパフォーマティヴな性質があり、すなわち、ティナ・チェンが『ダブル・エージェンシー（Double Agency）』で論じたように、アジア系アメリカ人による人種のパフォーマンスには「本物」と「偽物」がなく、むしろ人種のパフォーマンスがアジア系アメリカ人のアイデンティティ構築には不可欠な構成要素である、[63]ということに対して自覚的であった。それは、主流社会におけるアジア系アメリカ人に対する態度や期待に合わせて行動する――ステレオタイプ的なイメージとの距離を縮めて自己演出する――ことを求められつつ、まさにそのような人種のパフォーマンスの反復的過程の中から、規範的な人種のあり方にズレをもたらす逸脱の可能性をも常に内包することを意味する。[64]グエンのいうように、オノト・ワタンナとしてのイートンは、彼女を後に再評価した研究者の主張したように、人種を不可変な「自然」とみなす世紀転換期の生物学的本質主義に基づいた人種観を揺るがすことはなかったかもしれないが、[65]アメリカ人がそうできると思い込んでいるにもかかわらず、実際には「国籍の違うアジア人を「外見で」区別することができないという事実

62 Nguyen, *Race and Resistance*, p. 55.
63 Tina Chen, *Double Agency: Acts of Impersonation in Asian American Literature and Culture*, Stanford University Press, 2005, p. 4.
64 Nguyen, *Race and Resistance*, p. 35, 56.
65 Dominika Ferens, *Edith and Winifred Eaton: Chinatown Missions and Japanese Romances*, University of Illinois Press, 2002, p. 153.

を証明した」といえる。[66]イートンが何かを「都合よく」利用したとすれば、それは何よりもまずアメリカ社会のこの「盲点」なのではないか。ハニーとコールが書いているように、イートンが日系人女性、すなわち「ゲイシャ、蝶々さんの装いをすることで、アメリカ人読者に全面的に理解してもらえるとはいかないまでも、耳は傾けてもらえ[67]」、イートンに魅入って何も疑わないで耳を傾けている読者の見ている前で、オリエンタリズム的なナラティヴを内部から少しずつ崩していった。

『夜啼鶯』における蝶々さん表象の見直し

作家のペルソナと同じように、エキゾチックで遠い国・日本というイートンの多くの小説で用いられる舞台設定は、世紀転換期オリエンタリズムに便乗した商業主義だけでは説明できない。ドミニカ・フェレンズが示したように、日本はイートンにとって、「彼女自身が北米で経験したが、リアリズム的語り口では扱えなかった人種とジェンダーの問題と向き合うための〔……〕フィクション的空間」でもあった。[68]この問題意識を反映して、イートンの小説は異人種間の誤解や衝突が中心的なテーマであり、それらの問題を交渉するために、蝶々さんに似ても似つかぬ——結局はロング、ベラスコとプッチーニの作り上げた、

66 Nguyen, *Race and Resistance*, p. 56.
67 Honey and Cole, "Introduction," p. 6.
68 Ferens, *Edith and Winifred Eaton*, p. 153.

不滅のステレオタイプへの異議申し立てとなる――強いダブルの女性が頻繁に登場する。

『夜啼鶯』において、こうした特色はユキの描写を見れば明快だろう。日系イギリス人[69]のユキは、ハニーとコールのいうように、「絶望的なほどナイーヴな蝶々さんとは違って」パワフルで「冷静で現実的な[70]」女性として描かれている。例えば、ジャックの愛の誓いに対し「あら、私と結婚するのは少しの間だけでしょう[71]」と返し、ジャック以外の男性との出会いを求め続けるとき、ジャックが一時的な現地妻が欲しいだけの西洋人男性に過ぎない可能性を十分承知している。さらに、『蝶々夫人』の海軍士官ピンカートンとは対照的に、ジャックは妻を家の中に閉じ込め、家族から孤立させることができない。ユキは予告なく繰り返し失踪し[72]、小説の終盤では夫と日本を後にし、アメリカ人の夫婦に付いてダンサーとして二年間のツアーに出る[73]。ツアーの終了後、帰国してジャックと復縁するが、『蝶々夫人』と違って、ユキが生き延びるのみならず、ジャックとの関係を続けるかどうかを自分自身で決められる点を鑑みると、これは撹乱的なハッピーエンドといえよう[74]。同時にイートンは、ユキをゲイシャとダンサーに仕立てることでエキゾチックさを保ち、ジャックの金を欲しがる理由付けとして、未亡人となった母親と留学中の兄・タロウを支えたいことを示すことにより好感度を上げる[75]。重要なのは、ハニーとコールの述べるように、

69 Eaton, "A Japanese Nightingale," p. 90.
70 Honey and Cole, "Introduction," p. 12.
71 Eaton, "A Japanese Nightingale," p. 111 ("Oh, you jus' marry me for liddle bit while").
72 Eaton, "A Japanese Nightingale," p. 106-107.
73 Eaton, "A Japanese Nightingale," p. 162-166.
74 Eaton, "A Japanese Nightingale," p. 171.
75 Eaton, "A Japanese Nightingale," p. 145-6.

蝶々さんの場合と異なり、家族にその支援を求められているわけではないという点である。[76] というのも、支援を自由な選択の結果として見せることにより、ユキとその家族が読者により好意的に受け止められると考えられるからである。ユキは、したがって、当時の読者のもっているオリエンタリズム的期待の地平にいくらかとどまりつつも、自律性、個性、そして主体性を主張することにより、その地平を多少押し広げもし、最終的には「新しい女」として立ち現れる。[77]

ユキの兄・タロウ――彼は最初にジャックの大学時代の親友として登場する[78]――の描写も同じく撹乱的な側面がある。もともとジャックと二人で帰る予定だった日本への出発を前に、タロウはジャックに「日本に滞在している間、少しの間だけ、都合のいい、楽しい蜜月を得ようと、勢いよく日本人の妻を娶り、同じく勢いよくまた捨ててしまう数多くの外国人に名を連ねないこと」[79]を約束させる。イギリス人の父と日本人の母が幸せな夫婦だったにもかかわらず、

> タロウはユーラシア人が不幸な運命に生まれたと考えていて、自国の女性が他国の男性と結婚することに強く反対していた――外国人がそのような結婚をいかに軽んじているかを理解できるほど西洋化されていたから特に。[80]

イートンのこの描写からわかるように、タロウが西洋の教育を受けた結果、東

76 Honey and Cole, "Introduction," p. 17.

77 Birkle, "Orientalisms," p. 333.

78 Eaton, "A Japanese Nightingale," p. 91.

79 Eaton, "A Japanese Nightingale," p. 90 ("that during his stay in Japan he would not append his name to the long list of foreigners who for a short, happy, and convenient season cheerfully take unto themselves Japanese wives, and with the same cheerfulness desert them").

80 Eaton, "A Japanese Nightingale," p. 90 ("Taro held that the Eurasian was born to a sorrowful lot, and was bitterly opposed to the union of the women of his country with men of other lands, particularly as he was Westernized enough to appreciate how lightly such marriages were held by the foreigners").

洋に対する優越感ではなく、西洋に対する批判的な距離感を持つようになったのである。そして、あたかも転生した蝶々さんであるかのように、タロウの批判は、パターナリスティックに妹のユキに対して発露するのではなく、海軍士官ピンカートンの影を宿すジャックに対して向けられる。

友人が約束を破って妹と結婚し、そして妹が結婚に踏み切ったのは自分を支えるためであることを知ると、タロウはショックで足を踏み外し、頭を打って意識を失う。しかし今度もまた、彼の怒りの矛先はユキに向けられるのではない。「なぜ彼女に、か弱い我が妹にこの重荷がのしかかったのだろう。しかし、ずっとそうだった。この国では、女性に正義なんてないんだから。」[81]――意識が戻った彼は、日本社会のフェミニズム的批判ともとれるこの台詞で、妹に対してむしろ理解と悔恨を示す。ジャックに関しては、しかし、怒りしかない。彼の喉を締めつけてタロウは叫ぶ。「お前は俺の友人だった。お前を愛していた。だが今……殺してやる、こうして、こうして、こうして！」[82]と。倒れて重傷を負ったタロウは、その後回復することなく亡くなってしまう。

したがって、イートンがタロウを通じて行う蝶々さん表象の見直しには、その表象の根底にある人種とジェンダーのヒエラルキーに対する批判と、西洋人男性との出会いの結果、死んでいく人物の性別を逆転させるという二つの側面がある。これは、イートンがアジア人男性と西洋の関係にはどのような未来が

81 Eaton, "A Japanese Nightingale," p. 147 ("Why should the whole burden have fallen on her, my little, frail sister? But it has always been so. There is no such thing as justice in this land for the woman").

82 Eaton, "A Japanese Nightingale," p. 151("Once you were my friend, and I loved you. But now . . . I will kill you like this and this and this!").

描けたのかという問題も浮上させる戦略であるが、蝶々さんの表象をジェンダーの異なる二つの人物に担わせることは、アジア人女性に未来を開き、「女性的」東洋対「男性的」西洋という二分法的なジェンダー化の図式を不安定化させるものといえよう。

『夜啼鶯』のクィアな潜在力・その一——時を超える連帯

再評価されるまでにかかった時間を考えれば、時代に先んじた『夜啼鶯』のこの批評的潜在力《ポテンシャル》こそ、「幾夜」の千代と雪子を惹きつけるものである。まず、雪子にとって、ユキは婚前婚中共に自由で自律した精神を持つ女性として同一化の対象として機能すると考えられる。『夜啼鶯』の第七章で、ユキが結婚後も他の男にこっそり会い続け、婚約までしたことに気付いたジャックは、「君と結婚だと！　何を言ってるんだ、君は僕の妻だ」と憤慨して言うが、それに対してユキは「ええ、でも彼は知らないもの」[83]とさりげなく返す。この場面を読んだ雪子は、ユキを非難するどころか、彼女がジャックからお金を巻き上げようとする先述の場面と同じく、「なかなかの女だね、ユキ。仲良くなれそう」[84]と楽しそうにユキの言動を称賛する。

「幾夜」の冒頭で雪子は着物姿で登場し、戸惑う千代に、祖母にせがまれて

83 Eaton, "A Japanese Nighringale," p. 119 ("Marry with you! What do you mean? You are my wife." "Yes, bud *he* din' know thad"). 強調原文。

84 ミヤギ「幾夜」、六四頁。

お見合いに参加してきたと打ち明ける。[85]そして、『夜啼鶯』のこの第七章を読んだ数日後、結婚が決まったので和歌山県に帰ることを、沈んだ様子で千代に告白する。一九四〇年代東京で、両親を亡くし、ピアニスト志望として親戚の家で一人暮らしをしていた雪子が、他の選択肢がない中、結婚に強いプレッシャーを感じたことは容易に想像できる。このような解釈は、雪子が結婚や子供に興味を示さなかったことを後に千代が思い出す場面に裏付けられる。[86]

理由は異なるが、雪子もユキも生存し家族のニーズに応えるために結婚することを余儀なくされた。そう考えると、雪子は、「自分だけの部屋[87]」や千代との関係、出世欲などを捨て、和歌山の田舎で主婦や母親として伝統的な女性の役割を果たして生活をしなければならない現実からの一時的逃避として『夜啼鶯』を読んでいたのみならず、ユキの結婚生活の破天荒さや結婚後にも保たれた自律を目の当たりにして解放感を得ていたということは想像に難くない。その意味で、先述の二つの場面に対する雪子の反応は、結婚しても自律が保てるかもしれないという、多少なりとも明るい希望を可能にする限りにおいてユキとのユートピア的同一化として読めるだろう。しかし、この自律の保持に雪子が結局成功したかどうかは、可能性として仄めかされたまま、読者の想像に委ねられている。

一方、千代にとって、ユキやタロウは東京に住む沖縄人としての自分の経験

85 ミヤギ「幾夜」、三九頁。
86 ミヤギ「幾夜」、一二一頁。
87 ミヤギ「幾夜」、六〇頁。

に向き合うきっかけとなる。例えば、イートンがユキを「half-caste（混血）」[88]と形容したのを読むと、千代はあたかも名指されたかのように「胸騒ぎ」を覚え、すぐ本を閉じてその不快感を掻き消そうとする。だが、否応なく沖縄出身であることを理由に文化学院で晒された差別やマイクロ・アグレッションの記憶が蘇えってしまう。[89]タロウに対しても同じような反応の連鎖がみられる。千代はタロウの登場に触発されて、「その頃の日本で、外国の血をひいているのはどんな感じだったのかな」と、十九世紀末日本においてダブルの人がどのような状況に置かれたかについて考え出す。そして、自分の置かれている一九四〇年代の「今はきっともっと風当たりが強い」と、アジア太平洋戦争中の日本における国粋主義と優生思想への批判的指摘ともとれる結論に至る。千代のこの考察は、向き合っている雪子により即座に肯定されるが、タロウの過去と自分のおかれた現在の比較によって前景化される、千代自身の人種的他者性からあたかも目を逸らすかのように、千代は沖縄訛りが「なかなか抜けずにいた」が「意識的に自らの言語を矯正し、標準語を体得」するのに成功したことを強調する。[90]

しかし、後に文化学院の元同級生との電車での再会で再び経験せざるを得ないように、そのような努力の数々をもってしてなお、沖縄人として見られ、出身地のためにみくびられ続ける。[91]注目すべきなのは、この再会の数日後、千代が『夜啼鶯』で「barbarian（野蛮人）」という、ユキがジャックに対して使う表

88 ミヤギ「幾夜」、四三頁。
89 ミヤギ「幾夜」、四四頁。
90 ミヤギ「幾夜」、四六頁。
91 ミヤギ「幾夜」、六六頁。

現に出くわし、文化学院の生徒もまた、同義の日本語にあたる「野蛮」を用いて自分を嘲笑していたことを思い出す点である。というのも、この連想は、「数年前まで〔……〕海の向こうの遠い国の誰かを指す言葉だと思っていた[92]」表現が、今では自分を揶揄するために使われているという気づきをもたらすからである。「野蛮」という語が日本の「外」にいる人種的他者（ジャック）を指すものから、日本の「中」にいる人種的他者（千代）をも指すようになったという変化を、千代が実感しているわけである。つまり千代は、明治維新以降の近代化を背景に、自分のような琉球・沖縄の人が臣民として日本帝国の「内部」に取り込まれながら、人種的他者として同時にその「外部」にもおかれる植民地化の歴史的過程を体感し、人種とは普遍的な生物学的事実ではなく、何よりもまず文化的構築物であるということをここで再確認している。こうして千代は、ユキやタロウ、そしてある意味ではジャックという、社会の「内部」に属しつつ、その「外部」にも置かれる人種的他者が複数登場するイートンの物語に立ち戻ることを通じて、その境界線上における自分の経験を相対化し、イートンの時代から続く人種の階層化を——人種を気にしないで済む雪子を相手に——問い直すことができる。前述の通り、この対話のプロセスは、人種差別や特権に対する雪子のより深い理解にもつながっていく。

千代の「胸騒ぎ」に象徴されるように、このイートンへの振り返り《レトロスペクション》は、恥ず

92　ミヤギ「幾夜」、六七—六八頁。

かしい思いや痛ましい記憶を呼び起こす、必ずしも心地良いプロセスではない。しかし、ニシャント・シャハーニが書くように、このネガティヴな要素を受け入れることと、「将来の修復的可能性（reparative possibilities）への関心は相容れないものではない」[93]。シャハーニによれば、このような振り返りの実践にそれでも「修復的価値（reparative value）」が見出せるのは、「恥〔の領域へ〕の追放が生み出す共有の関係性」、痛ましい経験の重なり合いから生まれる時空を超えた連帯の可能性においてであるという[94]。「幾夜」の後半で、千代がオノトというペルソナを身に纏い、――イートンの『夜啼鶯』が千代と雪子にとってそうであるように――クィアな潜在力《ポテンシャル》を秘めた、時空を超える物語を書くようになるのは、まさしくこのような「共有の関係性」として捉えられる。なぜなら、オノトとしての千代による創作はイートン文学とその攪乱的潜在力の承認として、そして、千代によるオノトへの変身はイートンのペルソナとその複雑な歴史の再領有として、千代自身の複雑なアイデンティティの肯定となり、千代にオルタナティヴな未来を切り開くからである。とはいえ、オノトとしての千代は、イートンの人生を上書きするよりよい「更新版」でも、モデルとしての理想化でもない。後述するように、それは――雪子とユキの関係と同様に――それぞれの差異において隣り合って共存する、時空を超えた連帯である。

93 Shahani, *Queer Retrosexualities*, p. 22.
94 Shahani, *Queer Retrosexualities*, p. 19.

『夜啼鶯』のクィアな潜在力・その二——千代と雪子の親密な絆

オノトとしての千代についてみていく前に、『夜啼鶯』への振り返り《レトロスペクション》が物語内世界において可能にするもう一つの繋がりについて確認しておきたい。それは、この小説のもっとも中心的な関係である、千代と雪子のクィアな絆である。和歌山に帰った後、雪子は千代に宛てた手紙の中で、イートンの本を手に入れた経緯について触れながら、次のように書いている。

> 英語で書かれた新しい物語はほとんど出版されなくなっていた。そんな時に思い出したのが、従姉が持ってきてくれた『夜啼鶯』でした。一昔前に人気だった日系人作家、と言われ従姉はアメリカでそれを友人から譲り受けたそうです。彼女はそれを日本に持ってきた。間違い探しのつもり、と言って。そこに描かれている日本が間違いだらけだということは、アメリカで育った従姉にでもすぐにわかったそうです。〔……〕あの小説がいわゆる文学の水準に達していないことは私にだってわかる。あなたがどこか斜に構えて訳していたことも。それでもこの物語は私にとって大切なもので、あなたにとってもそうだったと願いたい。〔……〕あの部屋でふたりきりで過ごしながらも、ふと、世の選民的な基準に迎合しようとしていな

いかと思うことがありました。私たちが読んできた文学は、奏でてきた音楽は、誰によって作られ、誰に向けられたものなのか、と。そのような文学が、音楽が、切り捨ててきたかもしれない何かが、あの本にはあるような気がしました。評論家たちはきっとあの物語を貶し、ロマンティックな女たちに消費されるだけの物語だと笑うでしょう。しかし、あの物語がこの時代に、あなたと私を繋げていた。[95]

雪子にとってイートンの小説が「大切なもの」であるのは、まず、雪子と千代が「読んできた文学」、「奏でてきた音楽」の作家が「切り捨ててきた何か」を補って修正するものとしてである。この「何か」こそが、イートンによる蝶々さん表象のフェミニズム的な見直し――ユキが体現するアジア人女性のもうひとつの未来の可能性――を指すのではないだろうか。これ以上詳しい分析を雪子は提示してくれないが、こう解釈した場合、この手紙は、その数ページ前に雪子が展開するクラシック音楽における男性中心主義に対する批判[96]と見事に響き合うことになる。

しかしそれよりも、イートンの小説は雪子と千代を「繋げていた」ものとして雪子にとって「大切なもの」である。二人が互いに友情とは別の、クィアな感情を抱いていることへのさりげないヒントは、「幾夜」の至る所に散りばめ

95 ミヤギ「幾夜」、七六頁。強調筆者。
96 ミヤギ「幾夜」、六〇頁。

られている。たとえば、雪子が『夜啼鶯』を自分でも読めるのに千代に翻訳を頼んでいたのは二人だけで会えるためだという二人の間の暗黙の了解。[97]『夜啼鶯』でジャックとタロウの間の「強く深い愛情」について読んだ千代が顔を赤らめつつ、「この若いアメリカ人男性と日本人とのハーフは、二人の男性に許されるだけもっとも近い親しさで結ばれていた」[98]と続けるイートンの筆に、雪子が「私たちみたいだね」[99]と冗談めかして応えること。東京での最後の散歩で雪子の腕に手を伸ばし、雪子の手をつかんだまま歩いていた自分を千代が「大胆」ととらえ、雪子がそれを拒まなかったこと。[100]その後、雪子の車に戻ったとき、千代が雪子を失う悲しみに耐えきれず「一緒にいたいよ〔……〕いたいに決まってる」と「堰を切ったように」切り出し、運転手がわざとらしく咳払いをすること。[101]あるいは、雪子が千代に餞別として資生堂のセレナーデを渡し「その香水、あなたといるときにしかつけなかったんだ」と付け加えること。[102]そして、和歌山に引っ越してからしたためた千代への手紙の中で、雪子が七夕の夜に江ノ島の浜辺で千代と一緒に夜空を眺めた思い出を語り、織姫と彦星伝説に二人をなぞらえること。[103]表面上では「無害な」知的交流と娯楽であるイートンの小説の翻訳を通じて、千代と雪子は、太平洋戦争中の厳しい現実からの「避難所」だけではなく、卒業後も目立たずに逢引できる「ふたりだけの部屋」という、クィアなユートピア的空間を雪子の居間で作ることができる。しかし、

97 ミヤギ「幾夜」、五一頁。
98 Eaton, "A Japanese Nightingale," p. 91("strong and deep affection" "the young American and the young half-Japanese had been associated as closely together as it is possible for two young men to be"). 和訳はミヤギによる。
99 ミヤギ「幾夜」、四六頁。
100 ミヤギ「幾夜」、七〇頁。
101 ミヤギ「幾夜」、七一頁。
102 ミヤギ「幾夜」、七二頁。
103 ミヤギ「幾夜」、七四頁。

この空間は文化学院と同様、戦争の激化、愛国心の名の下で文化的活動を不必要な贅沢として非難する世間の目、[104]イートンの小説にいつかはいずれ終わりが来ること、[105]そして雪子の結婚と娘の誕生という異性愛規範的な未来の到来により常に脅かされる一時的で儚い空間でしかない。

この異性愛規範的な未来の中に千代の居場所がないことは、前述の電車内での同級生との偶然の再会の時に千代が感じた疎外感が、人種差別的なマイクロ・アグレッションのみならず、同級生たちによる夫の自慢話にも由来することにより既に暗示されている。その上に、数ページ後に雪子も結婚することを告げられたあと、千代がリー・エーデルマンに憑依でもされたかのように、「私には未来が全く見えない[106]」と絶望するのも無理はない――もう一つの餞別として雪子からもらったラヴェルの『夜のガスパール』（一九〇八年）が聴けるレコードプレーヤーがなく、『夜啼鶯』の翻訳を手紙で続けることも「敵国[107]」の本であるため検閲が怖くてできないことを考えれば特に。この時点の千代は現在も未来も確かに暗い。しかし、ミヤギは――ムニョスのように――暗い現在よりもクィアな未来を思い描き、それに向かっていく方法を千代に与える。それはまたも、痛ましい過去への振り返りを通してである。

104　ミヤギ「幾夜」、五七、六四、七〇、七五頁。
105　ミヤギ「幾夜」、六五頁。
106　ミヤギ「幾夜」、七〇頁。
107　ミヤギ「幾夜」、七二頁。

東京ローズの再領有

「幾夜」には、「ハウ・メニイ・ナイツ」という、オノトと名乗るＤＪがアナウンサーを務めるラジオ番組が十一回に渡って挿入されている。[108] 最初の放送の日付は、一九四五年二月二十三日、硫黄島にアメリカの国旗が掲揚された日であるため、一九三七年頃に始まると考えられる「幾夜」前半のメイン・ナラティヴの時間[109]と数年ずれているが、次第にこのＤＪが実は千代であることが明らかになっていく。

まず第二回目の放送では、オノトは、かつて空襲の後の無力感と不安を癒すため、自分を「海へと連れ出してくれた」とある友人の話をする。

> ふたり並んで海を見て、それから煙草を吸った。〔……〕この海の向こうにある、様々な海を想像、いいえ、波に乗って確かにその風景を見ました。〔……〕私のように不安を抱えながら海を見ているあなたがいた。彼女が私をあなたの元へと運んでくれた。だから私は、こうしてあなたに語りかけることにした。そうすることで、今この時を生きるあなたを少しだけ楽な気持ちにできたなら、それ以上嬉しいことはありません。聞こえているかな？[110]

108　ミヤギ「幾夜」、四二、四九、五五、六三、七三、八〇、七〇、一〇〇、一〇七、一一一、一一七頁。

109　この第一回目の放送の数ページ後のメイン・ナラティヴにおいて、千代が南京陥落の話をすることから「幾夜」前半のナラティヴが一九三七年に始まると推定できる。ミヤギ「幾夜」、五二頁。

110　ミヤギ「幾夜」、五〇頁。強調筆者。

最初の「あなた」は、明らかにその友人を指しているが、二度目の「あなた」は番組視聴者にむけて発せられる。しかし、三度目の「あなた」になると、もはや判別ができない。オノトが「語りかける」のは誰なのか。誰を「少しだけ楽な気持ちに」させようとするのか。誰に「聞こえて」ほしいのか。番組視聴者なのか。それともこの友人なのか。その両者だろうか。そもそもこの友人とは誰のことだろうか。友人がオノトを視聴者の「元へと運んでくれた」とはどういう意味だろうか。

その後に続くメイン・ナラティヴを読み進めていくと、雪子がドビュッシー、サン＝サーンスやラヴェルなど、フランスの作曲家が好きであり、ドビュッシーの『沈める寺』（一九一〇年）やラヴェルの『夜のガスパール』の第一曲「オンディーヌ」をよく千代に聴かせていたことがわかる。前者は海底に沈んだ大聖堂の神話に、後者は水の精霊ウンディーネの物語に想を得て、両作品とも水というモチーフが通底している。それだけではなく、ある雨の日の午後、雪子の演奏を聴いている千代も「海の中にいる[111]」ような気分になる。雪子が和歌山に帰る前に開催する最後のリサイタルで演奏したセザール・フランクの『前奏曲、コラールとフーガ』（一八八四年）を聴いているときも、千代は海を連想し、友人と一緒に「様々な海を想像」していたオノトと同じように、雪子の故郷の

111　ミヤギ「幾夜」、五九頁。

海が沖縄やアメリカにつながっていく様を想像し、想像上の海を、「どこでもない場所に漂っている」[112]自分に気が付く。こうして雪子と千代は海というモチーフを介して繋がっているので、やはりオノトが一緒に想像上の「波に乗った「あなた」とは雪子のことであると推測したくなる。

第四回目の放送をもって、わたしたちはより決定的なヒントを与えられる。というのも、放送の最後に、オノトは『夜のガスパール』から「オンディーヌ」を流すからである。[113]先述したように、『夜のガスパール』は千代が雪子からの餞別でもらったレコードであり、戦時中、何があっても手放さなかった数少ない私物の一つである。ある日、叔父が隠し持っていたレコードプレーヤーでカナたち家族と共に、「オンディーヌ」を聞きながら、千代はこう考える。

> この音楽を電波に乗せて彼女に届けることができたら。同じ音楽を聴けたら。〔……〕雪子に会いたい〔……〕ふたりだけの部屋で、また「オンディーヌ」を聴きたい。[114]

さらに、第五回目の放送の数ページ前、「幾夜」のメイン・ナラティヴにおいて、雪子はクララ・シューマンの楽譜を千代に紹介し、クララのような例外を除けば、これまで自分の演奏した音楽がすべて男性により作曲されたものであると

112 ミヤギ「幾夜」、五四頁。
113 ミヤギ「幾夜」、六四頁。
114 ミヤギ「幾夜」、一〇三―一〇四頁。強調筆者。

嘆く。[115] すると、第五回目の放送では、オノトは雪子に応えるように、自分が番組で流した音楽もすべて男性が作曲したものだと語り、クララ・シューマンの『音楽の夜会』（一八三六年）からの「ノットゥルノ」を、「音楽を生み出そうとする女性」に捧げながら、「海を越えて、どうか、あなたに届くことを願います」[116]と言ってかける。これが雪子に向かってメッセージを発信している千代でなければ誰だろうか。

これらの音楽的ヒント[117]を裏付けるように、「幾夜」の後半では、千代が勤めていた出版社の経営難により、日本放送協会でタイピスト兼翻訳者として働くことになり、しばらくすると、米軍の士気を低下させ、敵軍を欺くためのプロパガンダ放送の英文原稿のタイプ起こしと校正を任され、最終的にはその読み上げをも担当することになる。[118] 米国班に所属する千代は、当初、傍受したアメリカの短波放送を書き起こし、翻訳する仕事を担当していたが、プロパガンダ放送のＤＪを務めていたオノト・ワタンナという二世日系人の女性――そう、ミヤギの小説ではイートンのペルソナが人物として登場する――が千代との短い出会いの後、突然姿を消してしまうと、千代はオノトの代わりにこのラジオ番組を引き継ぐよう頼まれる。[119]

「幾夜」における二つ目の振り返り《レトロスペクション》が幕を開けるのはここである。というのも、プロパガンダ放送の日系人アナウンサー・オノトという人物は、ラジオ・トウ

115 ミヤギ「幾夜」、六〇頁。
116 ミヤギ「幾夜」、七三頁。
117 その他には第三回目の放送にもこのようなヒントがある。この放送では、オノトはブラームスの『六つの小品』の「間奏曲 Op.118-2」（一八九三年）を流すが、メイン・ナラティヴにおいて、千代はそれが父のお気に入りの曲の一つであったことを語る。ミヤギ「幾夜」五六、八三頁。
118 ミヤギ「幾夜」、八二―八四頁。
119 ミヤギ「幾夜」、九一、九九、一〇六頁。

キョウ放送のプロパガンダ放送「ゼロ・アワー」のアナウンサーを務めていたアイバ・トグリ・ダキノをモデルにしているからである。トグリ・ダキノは同じく二世日系人であり、一九四一年に親戚の見舞いのためアメリカから来日した。真珠湾攻撃による日米関係の悪化を機に日本を離れるつもりだったが、書類と金銭の工面が間に合わず結局戦争中も日本に留まり、同盟通信社で――千代と同じく――短波放送傍受とタイピングなどの仕事を経て、結局「日本のプロパガンダを妨害する」[120]ことに貢献できると期待しつつ、米国人捕虜とともに日本放送協会の英語プロパガンダ放送で働くようになった。ナオコ・シブサワによれば、大日本帝国は何十人もの英語話者の女性を雇い、トグリ・ダキノ――そして「幾夜」のオノト――のように、「孤児のアン」[121]などの偽名でプロパガンダ番組のDJとして活躍させていた。戦争末期になると、これらの女性たちの声は、熱狂的な人気を誇る、神秘的な「東京ローズ」に集約されていき、アメリカにおいて魅力的で官能的な「蝶々さん」と復讐心に満ちた陰険な「ドラゴン・レディ」というステレオタイプの双方を体現するようになった。[122]そしてこれらのイメージは、ジャーナリストの取材に対して自分が「東京ローズ」であると署名して認めたことにより、トグリ・ダキノに付着した。[123]話は、しかし、ここで終わらない。トグリ・ダキノは、最初は米国政府と米軍からはあまり関心を向けられておらず[124]、態度はむしろ好意的でさえあったにもかかわらず、

120 Shibusawa Naoko, "Femininity, Race and Treachery: How 'Tokyo Rose' Became a Traitor to the United States after the Second World War," *Gender & History*, vol. 22, no. 1, 2010, p. 173.

121 ミヤギ「幾夜」、九七頁。

122 Shibusawa, "Femininity, Race and Treachery," p. 169-70.

123 Shibusawa, "Femininity, Race and Treachery," p. 173–174.

124 Shibusawa, "Femininity, Race and Treachery," p. 174–175.

最終的に国家反逆罪に問われ、二世日系人の同僚二人が捏造した供述書を根拠に[125]、一九四九年に十年の禁錮刑を宣告されたのである[126]。

シブサワは、トグリ・ダキノがなぜ起訴されたのかについての諸説を検討し、「トグリの国籍でも、その行動でも、彼女が起訴されたことを十分に説明できない」と結論づける。なぜなら、トグリ・ダキノは日本政府からアメリカ国籍の放棄を迫られながらも日本滞在中にずっと保持しており、皮肉にも放棄した他の人と違い、実際に（国籍のある人として）国家反逆罪に問われることが可能であったが、プロパガンダ放送をもって米軍に実際に損害を与えたという証拠はなかったからである[127]。シブサワによれば、アメリカ政府がトグリ・ダキノを犯罪者に仕立て（ることができ）たのはむしろ、それによって排除すべき怪物と魅惑的妖女というイメージの間をたゆたう、「女性の権力をめぐる神話の魅力に身を委ねることと、人種的他者を再び国体に組み込めることに対する〔社会的〕不快感」を表現することが可能であったからだという[128]。トグリ・ダキノの帰国は、第二次世界大戦の間、強制収容の対象であった日系アメリカ人の、容易ではなかったアメリカ社会への復帰と重なっていた。アメリカ政府は、メディア・キャンペーンを通じて日系人のイメージ改善を図っていたが、それは冷戦時代の愛国主義を背景に、「日系アメリカ人を忠実で信頼できるアメリカ人」としてみせる形をとり、男性の場合、献身的な二世兵士、女性の場合、自己犠

125　Shibusawa, "Femininity, Race and Treachery," p. 178.
126　トグリ・ダキノは、一九五六年に仮釈放され、一九七六年に当時のアメリカ合衆国大統領ジェラルド・フォードによる無条件の恩赦を受け、市民権を取り戻す。
127　Shibusawa, "Femininity, Race and Treachery," p. 180.
128　Shibusawa, "Femininity, Race and Treachery," p. 183.

性的で忍耐強い愛国心溢れる母という形象に頼っていた戦略だった。[129] トグリ・ダキノは、しかし、「蝶々さん」寄りのこのような日系人女性のイメージに当てはまらず、結局は、もう一方のずる賢い「ドラゴン・レディ」、それも世間的には声を使って男を欺くサイレーンというイメージが付いてしまった。[130] トグリ・ダキノの起訴と裁判は、要するに、「正しい」日系アメリカ人と「正しい」アメリカ人女性とは何かという、人種とジェンダーの規範が交差する線引きを公の場において再確認することを可能にした。その結果、トグリ・ダキノはイートンと千代と同様に、社会の「内部」に取り込まれつつ、同時にその「外部」に追いやられる境界線上の綱渡りを強いられた。ミヤギは、イートンのペルソナであるオノト、そして千代にこの「危険な」サイレーン役を果たさせることにより、この構造を意識させようとしたと考えられる。

トグリ・ダキノらがアナウンサーを務めていたプロパガンダ放送は米軍を妨害することを目的としていたが、トグリ・ダキノが在任中、期待通りに日本のプロパガンダを何らかの形で妨げることに成功したかどうかについては、現存する放送が少なくその他の資料もほとんど残されていないため、結論付けることが難しい。「幾夜」におけるラジオ放送に関しては、しかし、一見その限りではない。千代が日本放送協会での新しい仕事内容を知るや、すぐさま雪子と「電波でつながる」[131] チャンスと捉える。そして、第六回目の放送にも顕著なよ

129 Shibusawa, "Femininity, Race and Treachery," p. 171, 177, 180-181.
130 Shibusawa, "Femininity, Race and Treachery," p. 182.
131 ミヤギ「幾夜」、八五頁。

うに、雪子に対して多少暗号めいたメッセージを送っている。

こんな雨の夜に、よく思い出すお話があります。ある女性のお話。恋人は音楽家だった。ピアノ弾き。彼女は会うたびに恋人のピアノを聴きたがった。でも恋人はなかなか弾いてはくれない。近所迷惑になってはいけないから、と。〔……〕あなたが弾く音楽が敵の音楽だから？ 女が聞いても恋人は微笑んで首を振るばかり。〔……〕私には見えるのです。戦争が終わった街の、ぼろぼろのホールで、弾くことをやめたいつかのピアノ弾きが再びステージに上がり、美しい音楽を奏でている。鮮やかなドレスを着て、波のような音を、ホールにさざめきのように響かせている。私はきっともうすぐ、あなたに会える。セレナーデの香りに包まれて、そのピアノを聴くことができる……聞こえている？ 聞こえていると信じてる。[132]

千代は、こうしてラジオ放送を通じて雪子とコミュニケーションを取ろうとし、雪子への恋しさを表現している。その意味では、オノト＝千代にとって、二人の関係は終わっていない。ラジオ番組が放送される限り、この関係も、そう、この小説のタイトル通り、幾夜も続く。言い換えれば、この放送は、きっといつかまたあなたと再会できるというユートピア的希望に裏打ちされた、もうひ

132 ミヤギ「幾夜」、八〇―八一頁。

とつの未来の断片の連鎖である。

そればかりか、この放送は、日本、アメリカ、沖縄と、出身地にとらわれずにすべての戦死を悼み、その上、フェミニズム的でクィアな批評をも展開する。オノトは例えば、エレノア・ルーズベルト（一八八四―一九六二年）が――ジャーナリストのロリーナ・ヒコック（一八九三―一九六八年）との親密で、レズビアンとも形容されたことのある関係[133]が千代にとってインスピレーションだったかもしれないが――日系人の強制収容に対して「反対の声をあげなかった」ことを批判している。[134]クラシック音楽が社会全体を反映して男性中心的であるという前述の嘆きも例として挙げられる。[135]また、一九四七年施行された日本国憲法第十四条と第二十四条の男女平等に関する文言の制定に重要な役割を果たしたオーストリア系アメリカ人のベアテ・シロタ・ゴードン（一九二三―二〇一二年）についても言及し、日本女性によりよい未来を切り拓いたとたたえる。[136]そして、雪子の手紙に応えるかのように、ウィニフレッド・イートンによるオノト・ワタンナとしての自己演出を、ジャポニスムの時代に「文芸の世界で生き抜くための、そして日々の暮らしを送るための、彼女なりの戦略」として擁護し、「ユキは船で世界を旅した後、東京に戻り生きつづける。彼女は死ななかった[137]」と、『夜啼鶯』における蝶々さん表象の見直しを評価する。したがって、オノト＝千代の放送は、雪子との関係をもう一つよりクィアな未来への希望として存続

133 Lillian Faderman, *Odd Girls and Twilight Lovers: A History of Lesbian Life in Twentieth-Century America*, Penguin Books, 1991, p. 98-99.
134 ミヤギ「幾夜」、六三頁。
135 ミヤギ「幾夜」、七三頁。
136 ミヤギ「幾夜」、一〇八頁。
137 ミヤギ「幾夜」、一一二頁。

させるのみならず、同時に、人種差別的で男性中心主義的な歴史の書き方への批判的な介入ともなる。

不／可能な未来

しかし、一つ見落としてはならないディテールがある。一見、オノト＝千代がトグリ・ダキノとバトンタッチして受け継いだラジオ放送を、私的なメッセージやフェミニズム的でクィアな批判をもって内から転覆させているかのように見える。だが、わたしたちが読んでいるオノト＝千代のこの放送は、一九四〇年代の物語内世界において実際に流されたものではない。思い出してみよう。千代がカナたち家族とラヴェルを聴きながら、「この音楽を、電波に乗せて彼女に届けることができたら」[138]と仮定法で夢想した。これは千代が放送のDJを頼まれた後の場面である。ということは、千代はDJを務めた当初から、そのような撹乱的な転覆が不可能であることをわかっており、それが「できたら」と夢をみていたのである。

しかし、千代は希望を捨てなかった。上司に頼まれたように「アニー」として放送のDJを務めながら、「いつか誰かに届くことを信じて」、オノトというペンネームで自分なりの放送原稿を書くことを決意する。[139] アジア太平洋戦争の

138 ミヤギ「幾夜」、一〇三頁。強調筆者。
139 ミヤギ「幾夜」、九一、一〇七頁。強調筆者。

歴史に微かな「もしも」が挿入されるのはここである。「もし誰かこのラジオ番組を変えたなら……」と。ミヤギの行うトグリ・ダキノの再領有は、現代的価値観を基準にした過去の理想化をもとに歴史を修正するような「復古的ノスタルジア」ではない。千代はトグリ・ダキノやイートンの「よりよい」、「より成功した」バージョンではない。千代の架空のラジオ放送を通じてミヤギが実践しているのは、「省察的ノスタルジア」なのである。ミヤギは、イートン＝オノトやトグリ・ダキノの過去の断片とそれに潜むクィアな潜在力《ポテンシャル》を新たな形で組み立て直し、シャハーニの言う「正典」の「歴史の横に置かれる回顧的《レトロスペクティヴな》アーカイヴ」が、「想像しうるものだけではなく、達成しうるものをも指し示す」[140]、常に未完成で終わりのないプロセスにおいてユートピアとなるような、もう一つの過去を作り出している。そしてそれは、「幾夜」という物語の内部でも、その外部——読み手のわたしたち——に対しても提示されるのである。というのも、千代の放送は、雪子のみならず、読者の私たちにも宛てられているからである。オノト＝千代のラジオ放送は、既述したように、物語内世界の時間とシンクロしておらず、その未来に属するわけでもなく、時間の外を漂っている。しかしそれでも、読者のわたしたちは「幾夜」の冒頭からそのラジオ放送の原稿を読み進めていくのである。わたしたちは、「幾夜」の中をもう一つの過去の可能性として漂っているオノト＝千代のラジオ放送、「幾

140 Shahani, *Queer Retrosexualities*, p. 161. 強調筆者。

夜」の提示するこの微かな「もしも」を、一つずつ、わたしたちの中で実在化させていく。このようにミヤギは、過去を批判的に振り返り、雪子とのもうひとつのクィアな未来を思い描き続けることを、千代にのみならず、読者のわたしたちにもまた可能にする。千代の放送は、物語の境界線を超え、読者を物語とそのナレーションの間に立たせ、そのクィアな潜在力を体験させ、フェミニズム的でクィアな振り返り《レトロスペクション》を、よりよい未来を構想するためのユートピア的実践として行為遂行的《パフォーマティヴ》に示すのである。

おわりに――過去の亡霊とともに生きること

ウィニフレッド・イートンにとって『夜啼鶯』のユキは、蝶々さん表象との対比からみえてくるように、イートンの生きていた時代を規定していた人種とジェンダーのヒエラルキーとは別の今、別の未来、ダブルの女性としてのオルタナティヴな未来を体現する登場人物である。ミヤギの「幾夜」においてこのテクストが振り返られるとき、ユキは四十年も前のもう一つの過去の可能性から、雪子にとってのもう一つの未来の可能性に変容するが、この振り返り《レトロスペクション》には、常にその可能性とは異なるイートンの過去が横たわる。ミヤギは、雪子の未来についての決定的な情報を読者に与えないことにより、過去を上塗りせず、ユキが約四十年経った後でもいまだに魅力的なもう一つの未来の可能性として読まれうるほど、家父長制が根強く支配していた現実世界を前景化させる。

千代が放送原稿を書くときのペンネームとしてイートンのペルソナの名前だった「オノト」を選んだことも、イートンへの同一化ととれる。だが、『夜啼鶯』を読む千代の同一化が、痛ましい差別経験の記憶を呼び起こす、必ずしも心地良いプロセスではないということと、千代自身が第十回目の放送で強調しているように、[141]オノト・ワタンナというペルソナがまさにイートンの時代から続き、千代をも苦しめる、世紀転換期のオリエンタリズムに通底する人種のヒエラルキーへの応答、すなわち生存戦略であったということは忘れてはいけない。そして、この振り返りも、よりよい未来の可能性へと千代を導くとはいえ、その未来を仮託された、雪子との関係を断片的に希望として存続させる放送原稿は、千代が実際に「アニー」として読み上げるそれとは別のものである。したがって、このもう一つの過去の可能性は、ジェンダーと人種のために社会の「内部」に置かれつつ同時にその「外部」へと追いやられていたイートンとトグリ・ダキノの複雑な綱渡りの歴史の横に——つまりそれらの歴史を覆い隠し、終わったことにせず——立ち現れるのである。

イートン、トグリ・ダキノ、そして千代と雪子が経験したことは、まだ「終わった」物語／歴史《（ヒ）ストリーズ》ではない。それは、アメリカやヨーロッパで、コロナ禍に

141 ミヤギ「幾夜」、一一二頁。

より再びぶり返したアジア人に対する根強い差別、二〇二二年のジェンダーギャップ指数ランキングで日本が一四六カ国中一一六位とあいかわらず低い結果になったことや、近年の #MeToo 運動により可視化されたハラスメントと性暴力の蔓延、そして日本ではＬＧＢＴに対する差別を禁止する法や同性婚の合法化どころか、法的拘束力のない「ＬＧＢＴ理解増進法」すら可決されないことを思い出しただけでも明らかである。だから今なおも、わたしたちは、ミヤギが「幾夜」で実践しているように過去に立ち戻り、「正典」の歴史の周辺で散らばっているもう一つの過去の断片をいかにして組み立て直し、よりよい未来へと繋げるか、具体的に想像しなければならない。ミヤギのこの小説がわたしたちに突きつけるのは、そのようなユートピア的想像の必要性だろう。

American Boyfriendとは誰か

ミヤギフトシ

「American Boyfriend」、という奇妙な名前のプロジェクトを始めて、気がつけば十年が過ぎていた。同名のブログからスタートして展覧会を開催し、その後キュレーターの兼平彦太郎さん、PRの増崎真帆さん、デザイナーの木村稔将さんの協力を得て、より広がりのある展覧会、トークイベント、メールアート的な郵送物、そして小説など、多くの人の助けを得ながらさまざまな形態で作品を発表する機会に恵まれてきた。ライフワークになるね、などと初期の頃に言われて、その言葉の大仰さに若干居心地の悪さを感じたりもしていたが、今後もプロジェクトは継続してゆくであろうし、「American Boyfriend」の枠に入らない作品すらもプロジェクトに収束してゆくような感覚もある。例えば直近の個展「American Boyfriend: Portraits and Banners」では、被写体の部屋を夜訪ね、部屋の明かりを消して一分間の露光時間でポートレイトを撮影する写真シリーズ《感光／Sight Seeing》と、その様子を映像に記録した《感光の数分間／A Few Minutes of Sight Seeing》をフィクショナルな作品として新たに制作、小説「アメリカの風景」など「American Boyfriend」諸作品に登場してきた語り手である「僕」、コロナ禍で沖縄に帰ることもままならないその「僕」が《感光／Sight Seeing》のメソッドを用いて、沖縄に住む「クリス」をリモートで撮影しようと試みる映像とその写真がインスタレーションの一部を構成していた。後述するがそれは私自身のここ数年の体験を基にしている。自分自身の暮らしと生がプロジェクトの作品に繋がり継続しているのであれば、自分自身が消耗してゆく感覚がないわけではないけれど、ライフワークという言葉も間違いではないのだろう。

十年前、プロジェクトを始めるにあたって書いたステイトメント冒頭には、次のように記されている。「沖縄で沖縄人男性とアメリカ人男性が恋に落ちること。それは可能なのだろうか。それぞれの言葉があり、翻訳され、取りこぼされ、誤訳される言葉がある。隔てられたそれぞれの場所で、ふたりが見る風景はどう違い、ふたりはどれだけ近づくことができるのか。」当初から、例えば基地のフェンスなどの強固な境界・隔たり、そしてレースカーテンのような柔らかな境界・隔たりという場で生まれるクィアな、あるいは規範から離れた、時にひそやかな関係性を、物語を通して描きたいという考えは変わることなくプロジェクトの核として存在していた。《The Ocean View Resort》(二〇一三年)、《ロマン派の音楽／A Romantic Composition》(二〇一五年)、《花の名前／Flower Names》(二〇一五年)など沖縄やアメリカを主な舞台とした男性同士の関係性を描いた映像作品から、戦前・戦中・戦後を生きた女性たちの語りが連なる《How Many Nights》(二〇一七年、その後同作をベースにした中編小説「幾夜」が『すばる』二〇二一年六月号に掲載)、イタリアでヨーロッパの留学中にノイローゼ気味になった語り手が天正遣欧少年使節団の足取りを追う《音と変身／Sounds,

Metamorphoses》など、時代や舞台は変わりながらも、境界・隔たり、翻訳・誤訳の可能性、個と個の親密な関係性など、根幹のテーマは一貫していたと思う。沖縄やアメリカから離れても、「American Boyfriend」の枠組みで語ることができる物語は無数にあるはずだと信じて疑わなかった。

しかし、コロナ禍は予想していたよりも大きな影響をプロジェクトに与えていた。海外に行くことは叶わず、改めて沖縄に向き合ってみようと考えても、国内でも行くことができない。二〇二〇年以降、「American Boyfriend」の新作は前述の「幾夜」くらいで、それも《How Many Nights》を元にしており、純粋な新作は無いに等しかった。世界から、歴史から切り離されたような感覚を覚えた。何も思いつかなかった。そして、沖縄との繋がりがどんどん薄れてゆくような気がしていた。沖縄に関するニュースを見ても、嫌なコメントばかり目に入る。遠い場所になってしまって、東京側の人間になったような焦燥感が増してゆく。境界・隔たりの在り方が大きく変化していた。いや、その境界・隔たりすらも自分から遠ざかってゆくようだった。加えて、《花の名前／Flower Names》で重要なモチーフとして機能した美浜の観覧車が解体され、《物語るには明るい部屋が必要で／In a Well-lit Room: Dialogues between Two Characters》の撮影場所のひとつである泊港のターミナルビルに入居していたホテルが廃業となるなど、「American Boyfriend」世界を構成していた風景が相次いでなくなった。このまま、少しずつ構築してきた「American Boyfriend」の世界が消えてしまう、そんな焦りばかりがつのる。二〇二二年の五月、本土復帰五十周年の日に合わせて久しぶりに沖縄を訪ねてみたものの、消えてしまった風景ばかりに気を取られて、新しい物語の手がかりを見つけることはできなかった。九月末には個展を二カ所同時開催する予定が決まっているのに、夏になっても一方の会場ではポートレイトを中心に、もう一方ではバナー（刺繍）作品を中心にしたいということ以外、展示作品の構想を固められずにいた。

どうしようもなくなって、とても個人的な体験を基に物語を書くことにした。沖縄に行けないこと、ズーム越しに友人と四十分の時間制限で何度も途切れながらも、明け方まで飲み交わしたこと、ズームの時間制限によって接続が切れ、送ると言われたリンクが友人から一向に送られてこず心配になったこと……。何気ない日常を振り返るように日記のような物語を書いて、《A Few Minutes of Sight Seeing (Night Banner)》という映像作品を作った。東京に住む「僕」と沖縄に住む「クリス」がズームを介して酒を飲みながら、消えてしまった沖縄の風景について語り、酔った勢いで《感光／Sight Seeing》の撮影を試みるというもので、それを自宅の小さな部屋に「僕」役の俳優さんを招いて、「クリス」役の俳優さんとズームと繋ぎながら撮影した。役柄としてゲイであるらしい「僕」は独り身で、アメリカ人を父に持つクリスに若い頃思いを寄せており、それの思いは今もおそらく完全には消えていない。クリスの双子の兄であるジョシュはアメリカで男性と結婚し、コロナでそのウェディングパーティーは延期になっていることがクリスの口から語られる。クリスはアメリカに対し、そして父親に対して不信感を拭えずにいる。彼はアメリカで開催される予定だったそのパーティーに行けなくなったことについて、少し安堵している。そんなことを、ふたりは話す。

数年ぶりに撮影し、カメラの使い方をすっかり忘れていることに驚いた。歴史も政治も関係のない、これまでで最もパーソナルな作品になるだろうと思っていた。忘れかけていた作品制作の手触りを思い出すように、ある種のリハビリのように、たどたどしく作品を作っていった。自分の生を切り売りしているような感覚にならなかったといえば嘘になる。これまでは、映像作品や小説について、私小説的だと言われるたびにそんなことはないと否定していた。それが現代美術的な所作であるかと言われると、私にもわからない。美術としてもっと洗練された見せ方があるのではないか、という思いが消えることはない。四十歳を過ぎて、「American Boyfriend」という言葉に気恥ずかしさを覚えることも多くなった。

American Boyfriend、それはいったい何だろうか。二〇一七年に《How Many Nights》の撮影で訪ねて以来、アメリカにも行っていない。トランプ政権を経てコロナ禍、その過程において生まれた分断など、行くことを躊躇するようなニュースも多かった。American Boyfriendという存在は、プロジェクトの作品を通して様々な関係性を示唆してきた。例えば《The Ocean View Resort》では、フェンスの向こうでラジオを聴くアメリカ兵として、《How Many Nights》では女性同士の関係を隠蔽するように「私のアメリカンボーイフレンド」として、語り手の日系アメリカ人女性が相手のアメリカ人女性に手紙を通して語りかける。《音と変身／Sounds, Metamorphoses》の語り手は、偶然出会ったアメリカ人のストレート男性である音楽家の誘いに乗り、イタリアの小さな村へと一緒に旅をし、自分の過去を吐露する。

それは、関係性を隠蔽するための存在かもしれない。あるいは、その相手は結果的に救いとなるものの、特権的な位置にいてそのことに無自覚な存在なのかもしれない。それでも、藁にもすがる思いで、「僕・私」はその存在に頼ろうとする。それらはもちろんフィクションだ。しかし、どうにもならなかった時にフィクショナルな都合の良い「ボーイフレンド」を想像することで、私は確かに暮らしを、生を先延ばしすることができた。その存在を、沖縄に、アメリカに、あるいは別の土地に見出そうとした。そうしなければ、幻滅してばかりの風景の中に。妄想、と言ってしまえばそれまでだ。それは必要不可欠な生の実践でもあったはずだ。

若い頃は、歴史は直線的に前進してゆくのみだと信じていたが、歴史が後退したり、回り道を辿ることはここ数年で思い知らされたことだった。さまざまな場所で出くわすそんな迂回路や袋小路の片隅に存在するかもしれない小さな良心の存在、その存在可能性こそが、私にとってのAmerican Boyfriendなのかもしれない。目の前の風景に隠れているかもしれない存在。どれだけ近づいても、境界・隔たりによってその存在は「僕・私」から切り離されているかもしれない。しかしその向こうにいる誰かの存在に、思いがけず救われるかもしれない。その可能性だけは、信じていたいと思う。

境界へのまなざし

［ミヤギフトシへのインタヴュー］

以下は、「ミヤギフトシ上映会＆アーティストトーク」（二〇一八年一月二十一日［日］、於：北海道大学総合博物館一階講演室）におけるミヤギへのインタヴューの記録である。聞き手は町田恵美（フリーランス・エデュケーター）が務めた。なお、このインタヴューに先立つ上映会では、《Strangers》（二〇〇五—〇六年、写真作品）、《What I Meant Was》（二〇一〇年、三分二秒）、《また会いましょう愛しき人よ》（二〇一二年、二分四十四秒）、《The Ocean View Resort》（二〇一三年、十九分二十五秒）、《花の名前／Flower Names》（二〇一五年、二十分五十九秒）、《It's Life's Illusions I Recall》（二〇一六年、八分十六秒）の六作品が上映された。

ミヤギフトシ｜以上、全部で六作品上映させていただきました。長い時間ご覧いただき、ありがとうございます。今回講演のお話をいただいたとき、提案されたキーワードのひとつに「音楽」があったので、音楽にまつわる映像作品を選んでお見せしました。《The Ocean View Resort》と《花の名前／Flower Names》は映像インスタレーションのメインとなる長尺の作品で、それ以外も、もとはインスタレーションの一部として発表された短編映像作品で、上映形式では若干わかりにくいところもあったと思います。

「American Boyfriend」

——はじめに、ミヤギさんご自身が作品に通底するテーマとして掲げられている「American Boyfriend」について、お話しいただけますか？

ミヤギ｜はい。「American Boyfriend」は二〇一二年にスタートしたプロジェクトです。ざっくりと説明すると、「沖縄で、沖縄人の男性とアメリカ人の男性が恋に落ちることは可能か」という問いかけからスタートしたプロジェクトで、現在もこのプロジェクトのもとに作品をつくっています。

いまCAIで発表中の《いなくなってしまった人たちのこと／The Dreams That Have Faded》（二〇一六年）という作品もこのシリーズの一環です（個展「いなくなってしまった人たちのこと」CAI02、北海道、二〇一八年一月二十日—二月二十四日）。《いなくなってしまった人たちのこと》はキリシタンや民族的マイノリティの歴史に取材していますが、当初は、テーマとして沖縄の諸問題やセクシュアリティの問題を扱っていました。

このプロジェクトをはじめる以前からそういった問題を扱った作品を発表してはいたのですが、どちらもテーマがテーマだけに、作品に入る前に一歩引いてしまう人もいるなと常々思っていて……「じゃあどうしたらいいんだろう」と考えたときに、物語を使おうと決めたんです。ナラティヴ（物語）を使う……それも極めてメロドラマティックなナラティヴが映像として語られるなかで、いろいろな問題が見えてきて、見た人がそこにつながっていけるような作品をつくろうということではじめたプロジェクトです。ですから、ナラティヴをどう使っていくかを考えはじめた最初のプロジェクトでもありました。はじめ「American Boyfriend」のブログをスタートして、沖縄についてリサーチして実際に見たことを書いたりしていたのですが、昔住んでいたということもあって、特定の場所に行くと昔の記憶が思い出される。その記憶の断片のようなものを書いていたのですが、だんだんとそこに虚構が混じって、物語めいたテキストになりはじめた。そこからいろいろな部分を抽出してできた物語を映像作品としてつくったのが、二〇一三年の《The Ocean View Resort》という作品です。

――今日は近年の作品をスクリーンで上映しましたが、実際は、文章を含んだインスタレーションとして展示されることが多いです。ミヤギさんは多様なメディアを使う作家ですので、どういった肩書でのご紹介が適当なのか、私も迷うところです。さきほどご本人から、今日の作品選択は「音楽」をキーワードに行ったとご説明がありましたが、ミヤギさんのご関心は本当に多岐にわたっていて、音楽だけでなく文学の要素も確実にうかがえます。今日は、特に「音楽」や「文学」をキーワードに、それぞれの作品について、作家の言葉から理解を深めていきたいと思っています。

ニューヨーク

――最初に上映した《Strangers》(二〇〇五―〇六年)は、ニューヨーク滞在中に制作された写真作品です。ミヤギさんは、中学を卒業して那覇の高校に進まれた後、大阪に一時期滞在されて、大学進学のためにアメリカに渡り、ニューヨークで学ばれます。ニューヨークでは美術系の大学ではなかったということですが、そこで写真を勉強しはじめたことから、作家としてのキャリアがスタートして、この作品が生まれます。現在にも通じるこの作品を撮りはじめた経緯は、どんなものだったのでしょうか?

ミヤギ―僕自身田舎の出身で、セクシュアル・マイノリティとしてはすごく居づらい場所で、都会へ都会へと志向するところがありました。中学を卒業して、進学先の那覇も出身地よりも都会とはいえ、生きづらかった。高校卒業後、大阪に二年間いたものの、そこも「何か違う」と感じて……最終的にニューヨークの大学に行って勉強しはじめました。

ニューヨークは、セクシュアリティの面ではわりとオープンな都市ではあるのですが、そのことと自分の心の持ちようはやはり別なので……どうカミングアウトするかという問題はずっとついてまわりました。もちろん、察している人もたくさんいたはずですが、いちいち言わなくちゃいけないということがすごく苦痛になっていました。「じゃあ、どうしたらいいんだろう」と考えたときに、写真を習っているんだから、それを使おうと思い、このシリーズを撮ったんです。この一連のシリーズを見た人が、僕がどういう人間であるか一目でわかるものをつくりたいと思って、はじめたシリーズです。

――この写真、《Strangers》というタイトルが示す通り、まったくの他人にコンタクトを取って一緒に写真を撮り、さも親密な関係であるかのように見せていますが、どういった方法で知らない人に声をかけていったのでしょうか?

ミヤギ―最初はゲイバーに行って「Take me home」(私を家へ連れていって)というカードを掲げて立っていたのですが、さすがにそれは不審者扱いされて……。(笑)この写真に写っている人だけが「いいよ」と言ってくれたんですが、それ以降つづかなかったので……。ちょうどその頃、「MySpace」とか「Friendster」といった、いまの「Facebook」みたいなSNSが出はじめていたので、そのなかで僕が見つけた人にコンタクトを取ったり、それから「Craigslist」という掲示板サイトに出会い系セクションのようなところがあったので、そこに募集文を載せたりしました。こちらから選んでしまうと、どうしても偏りが生じてしまうので、ランダムに、来た人を受け入れようとして……そのおかげで、ふた回り以上歳が離れた人だったり、いろいろな人が参加してくれました。

――本当に、年齢もですが、ニューヨークならではの多様な人種の方々が写り込んでいますね。写真からその人の生活が垣間見られて、すごく面白いシリーズだと思います。ただ、そもそもどうして写真という手段を選択したのでしょうか?

ミヤギ―十代の頃は美術にまったく興味がなかったのですが、大阪にいたときちょうど「LOMO」というカメラがブームになっていて、僕も買って写真を撮りはじめました。アメリカに行ってからも、「これをしたい」という強い目標意識もなく、なんとなくジャーナリズムを勉強しようかなと考えてはいましたが、ネイティヴでもなく、英語もまだ全然しゃべれないのでそれが無謀なことであると気づいたんです。それで「フォトジャーナリズム」という授業を取って、そこで勉強として写真をはじめました。

そこから写真をもうちょっと勉強したいなと思って、ニューヨークの大学の写真学科に入って写真を勉強しはじめ、ほかの美術のことも知りはじめたという感じです。この作品に関していえば、すごく影響を受けたのが、やっぱりナン・ゴールディンとかマーク・モリスロー、ジャック・ピアソンといった、いわゆる「ボストン派の写真家」といわれている人たちです。八〇年代や、エイズ危機の前後に、すごく親密な恋人たち、友人たちの風景を撮った写真に惹かれていました……。絵としては、彼らの写真の影響を強く受けた作品です。

――ミヤギさんは、大学を卒業された後もしばらくニューヨークにいらっしゃいましたね。そのときはアルバイトなどをされながら制作活動をつづけていらしたんですか？

ミヤギ――そうですね。アーティストのアシスタントをやったり、「Printed Matter」というアーティストが運営している非営利のアートブックのお店があって、そこで週二、三日のバイトをしたりしながら制作していました。当時の「Printed Matter」がクィア、セクシュアル・マイノリティの人たちの作品や作品集、「ジン（Zine）」という手づくりの小冊子を集中的に取り扱いはじめていて、大きく影響を受けました。《Strangers》に関しては、バイトをはじめる前の作品なので影響はあまりないのですが、それ以降の制作にかなりの影響を与えたバイトというか、仕事です。

――二〇〇七年に帰国されますが、帰ることになったきっかけは何ですか？

ミヤギ――もともと学生ヴィザで滞在していたので、卒業して一年間は働けることになっていました。その一年の間にヴィザを取ればもっといられたのですが……。ちょうどこの《Strangers》のシリーズを制作していた頃、ギャラリーで個展をすることになりました（個展「Brief Procedures」ダニエル・ライヒ・ギャラリー、ニューヨーク市、二〇〇六年十一月四日―十二月九日）。ギャラリーの人も「ヴィザを取るならスポンサーになるよ」とか、「手伝うよ」といった話をしてくれてはいましたが、学生ヴィザが切れたら、とりあえず日本に戻ってしばらく日本に居ようと考えました。でもリーマンショックが起きてギャラリーが閉じてしまったので、アシストしてもらえる状況ではなくなり、それ以来なんとなく東京に居つづけていまに至る、という感じです。

《What I Meant Was》

——ニューヨークで写真をはじめられましたが、日本では映像（動画）作品を制作されていますね。ミヤギさんの映像作品には写真的、静止画的要素があるように思うのですが、映像に移行していったのはどのような経緯があったのでしょうか？

ミヤギ—すごく単純な話をすると、デジタルカメラを使うようになったとき、カメラに動画機能があるので、なんとなく撮りはじめたら面白かったということがあります。それに、さきほど少しお話ししたように、物語をどう伝えるかを考えたとき、写真よりも映像の方がやりやすいメディアだったということもありました。ナラティヴというものを前面に押し出すために、だんだんと映像にシフトしていったという感じです。

——ふたつめに見せていただいた《What I Meant Was》は二〇一〇年頃の映像作品ですね。映像作品の制作をはじめられたのは、この頃でしょうか？

ミヤギ—はい、これが作品として映像を撮りはじめた最初の頃のものです。映像を見て「何やってるんだろう？」と思われた方も多いと思いますが、パソコンに「ミュージックタイピング」という機能があって、それをオンにするとパソコンのキーが鍵盤のようになり音が鳴るんです。それを使ってバッハの「ゴルトベルク変奏曲」のアリアを弾いているという、シンプルな映像です。キーボードを叩いて弾いているので文字列がだんだん浮かび上がってきて、最終的にはそのわけの分からない文字列がメールとして誰かに送られていくという映像です。文字列は本当に意味をなさないものなので、受け取り手も「なんだこれは!?」と思うでしょうが、実はそれがバッハのとても美しい曲であるという作品です。

——実際にどなたかにメールを送るまでを撮影した作品なんですよね。

ミヤギ　展示ではイギリスに住んでいるひとりの男性をスカイプ越しに撮った写真があって、それと同じ空間に置くことで、見た人がこれがおそらく彼に送られたメールであろうと推測できるように構成しました。

《また会いましょう愛しき人よ》

――その次の《また会いましょう愛しき人よ》の頃から「American Boyfriend」のシリーズがはじまります。私も、ミヤギさんの作品をはじめて見たのが二〇一二年に同名の個展が東京で行われたときで（個展「American Boyfriend」アイコワダ、東京、二〇一二年七月二十一日―八月二十五日）、この作品が展示されていました。当時私はまだミヤギさんと知り合いではなく、たまたま「ミヤギ」という沖縄の名字に目がとまって、東京の小さなビルの一階にあるギャラリーに、「どういう作家なんだろう？」と入ってみたんです。そのとき、この映像作品以外にも、紅型の模様をカッティングして透かし絵のようにしてみせる作品など、さまざまなものが展示されていました。このときの展示に至った経緯を、作品の説明とあわせてお願いできますか。

ミヤギ　さきほどお話しした「American Boyfriend」のテーマに加えて、最初の頃は翻訳の問題がずっと頭の中にありました。《The Ocean View Resort》にも、言葉が通じなくて、兵士がどうやら美しいことを言っているみたいだけど自分にはそれが何を言っているのかが分からない……という祖父のセリフがあります。翻訳もそうですが、分かち合えない言語によって、なにか取りこぼされるものがあるんじゃないか……そういうことを考えていたんです。

この映像作品に出てくる男性に会ったのは、「American Boyfriend」をはじめた直後ぐらいでした。台湾の人なのですが、趣味でずっと沖縄の三線を弾いているという男の子で、それを聞いたときすごく面白いなと思いました。僕自身、沖縄にいたときは、沖縄文化にそんなに興味がなかったので、三線も弾けない。そういう沖縄人である僕の目の前に、ちょっとたどたどしいけれど、沖縄の唄を歌えて、弾ける台湾人がいる……。それで、彼に会いに台中まで行きました。この映像と、もうひとつ別の映像も撮っていて、そこでは彼が僕に三線の弾き方を教えてくれています。

この映像でも彼は沖縄の唄を歌っています。最後になんて言ってるのか分かりませんが、たぶん「あぁ、やっとできた。良かった良かった」みたいなことを、画面の外にいる友人に話している。見ている側も、「なんだかたどたどしいな」と思いつつ映像を見ていて、最後に「あぁ違う国の人なんだ」と分かる。そのつくりが「American Boyfriend」における翻訳の問題や言葉の問題などへの導入として良いなと思って、展示の中に配置していました。

展示室に入るとよく知られたこのメロディーが聞こえてきて、一瞬で展示空間が沖縄の空間になるようにしたいという意図もありました。でも、歌っているのは日本語も沖縄の言葉もほとんど話さない台湾の人である……そういう作品です。

――その唄を歌っているだけでは、国籍も含めて彼がどこの誰か分からないのが、最後に話した言語によって沖縄の人ではないということが明らかになる。ミヤギさんの作品のもうひとつのテーマであるアイデンティティの問題を示した作品ともいえますね。

彼がミヤギさんに三線を教えているもうひとつの映像も私は見たことがあるんですけれども、ミヤギさん、結局弾けなかったですよね。(笑)

ミヤギ――そうです。難しいんだなぁと。(笑)

――三線をかまえるポーズをしているだけの写真も撮っていましたよね。(笑)その二〇一二年の個展を経て、「American Boyfriend」のシリーズが、ミヤギさんだけではなく、キュレーターやデザイナー、PRの複数名でのプロジェクトとして始動します。私も見たこの展示をキュレーターの兼平彦太郎さんもご覧になったのが、プロジェクトのきっかけとうかがっています。

送られた手紙

――――私が《The Ocean View Resort》を見たのは、その後でした。そのときは私も共通の友人を介してミヤギさんと知り合っていたこともあって、DMが届きました。それもプロジェクトの一環としてとてもこだわった体裁で、不特定多数の人に一斉に送られたんですね。手紙を送ることも、このプロジェクトの面白いところだと思うので、それについてもお話しいただけますか。

ミヤギ　はい、そうですね……。何人かで協働して「American Boyfriend」プロジェクトを大きな枠組みとしてつくりはじめたのが、二〇一三年の《The Ocean View Resort》を発表した年でした。二〇一二年に、「American Boyfriend」の展示を見にきたキュレーターの兼平さんと、展示された作品――たとえばさっきの映像や写真など――は断片的なものですが、それらの背後に、当時すでにはじめていたブログで書いていた、作品につながる物語がある、という話をしました。展示も大事だけれど、ブログの方がもっと重要なんじゃないか、と。

そこで、人をどうそのブログに呼び込むかという話になったときに思いついたのが、手法としては昔からあるメール・アート的なんですが、三百人くらいのアート関係者に突然「American Boyfriend」というロゴとURLが記載された封筒に入った郵便物を送るというものでした。最初に送ったのが、破れた写真とちょっとした物語調のテキストで、《The Ocean View Resort》の物語とリンクするような物語が書かれています。真ん中の短くて細いものがT・S・エリオットの「四つの四重奏」という詩からの引用です。それも《The Ocean View Resort》のインスピレーション源になっていますし、映像作品内でも実際に四重奏が流れるというつながりもあります。

最初にまずちょっと謎めいた写真と物語が送られてきて、ふたつめとしてこのポストカードが送られてくる……。これは「松乃下」という那覇にある昔あった料亭の写真です。そこを舞台にした『八月十五夜の茶屋』（一九五六年）というアメリカの映画があるのですが、それがとても興味深い映画です。アメリカ兵と芸者の交流を描いた映画で、その間に沖縄人の通訳が入っていて、彼がいろんな訳をしたりしなかったり、取りこぼしたりする中でちょっとした交流のすれ違いなどが起こるコメディ映画です。《The Ocean View Resort》や、今日はお見せできなかったんですが《ロマン派の音楽／A Romantic Composition》（二〇一五年）という映像作品の中でその台詞を引用している映画で、それも後々のヒントのようなかたちで送りました。

第三弾として送ったのが、黄金の海の写真をポスターにしたもので、ここではじめて展示の告知もくっついてくるという郵便物です。三つ目を受け取ってから展示に行くと、いろいろと判ってくるという構成になっています。映像の横には最初に送った破れた写真があって、その破れた写真のことを映像でも語っているという……ちょっとした謎であり、物語世界へのインヴィテーションとしての印刷物をつくって、少しずつ世界観をつくっていったという流れです。

――かなり手が込んでいましたね。最初それが送られてきたときは、写真は破れているし、物語は断片だし、一体これは何だろうと思って眺めていました。最終的に送られてきたDMですら、展覧会のインフォメーションがささやかに書かれているので、気づかないで見落としてしまう人がいるんじゃないかと危ぶみつつ、これほどに手の込んだ招待をされると足を運ばずにはいられなくなり、見に行ってしまった……。私もそのひとりです。

《The Ocean View Resort》

――そのときに発表されたのが《The Ocean View Resort》で、その後多くの美術館に巡回し、紹介されることになった作品です。改めてこの作品についてご説明いただけますか。

ミヤギ――この作品の舞台は作品内では明示され

ておらず、語り手が生まれ育った島としか言っていないのですが、久米島の海です。語られている事件は実際にあった事件で、沖縄戦で島にやってきた日本兵が人を殺していったという事件です。なんとなく知ってはいたのですが、事件について島の大人たちが積極的には語ってこなかったので、聞いた記憶はほとんどありません。やっぱり、小さいコミュニティで、すぐ近いところに被害者がいる。こうしたことは僕もなんとなくは知っていましたが、ちゃんと調べたことはなかったんです。調べていくうちに事件の内容を知って、映像の中でも語られていたように、事件の発端となる浜辺が、僕自身子どもの頃よく遊びに行った浜辺であり、九〇年代にリゾートホテルが建てられて日本本土からの観光客がいっぱい来ていたけれど、いまはもう寂れている……。そういう歴史の移りかわりを目の当たりにしたところから思いついた作品で、そこにパーソナルな物語を加えて、フィクションにして混ぜ込んだものですね。

――実は、ミヤギさんの作品に登場する海を私も幼少期に久米島で見ていたので、はじめて《The Ocean View Resort》を見たとき、既視感を覚えました。私が、ミヤギフトシという作家にさらに興味を持つきっかけにもなりました。

この作品ではなく別の作品で、「海が嫌いだった」というセリフがありますが、それでもいま海を撮っているというのはご自身の中で何か変化があったのでしょうか。そのことについてお話しいただけますか。それから、《The Ocean View Resort》での語りはミヤギさんご自身の声で、英語で話されています。なぜ英語で話されたのかについても、ご説明いただけますか。

ミヤギ――やっぱり、小さい島で、周りを海に囲まれていて「出口なし」という感覚がすごく強かったということと、単純に泳げないのであまり海が好きじゃなかったということがあって。(笑)そういう島から外を目指して、実際に出て行って戻って来ると、嫌いだったはずの海をずっと見ていて……。なんとなく「外に出たい」と思っていたなと自分の過去を思い起こさせる風景でもあったので、この作品でも海を何度も見せています。海は、沖縄本島から逃げてきた日本兵が流れ着き、また、アメリカ軍が海の向こう側から来たように、何かが現れては何かが去っていく場所、ある種の境界です。「境界」「境界線」というのは作品にまつわるキーワードでもあり、境界としての海ということを意識してつくった作品です。

語りについても、英語で話しているのにも個人的な意図がありました。映像の中でも語られていますが、アメリカに行って英語を学んで、向こうの文化に触れていたわけですが、ヴィザが切れたというちょっと情けない理由で戻って来て、東京に住みはじめて数年経ったとき、英語を忘れはじめていることに気づいたんです。個人的には凄く衝撃的で……。英語を忘れていっているということと同時に、住んでいたアメリカの記憶や周りにあった文化をも忘れているということなんだろうと気づいて、この作品については自分が英語を忘れはじめているということも表したいと思って英語で話しています。また、今日は英語で喋っているほかの作品は紹介していないのですが、僕が英語で喋っているほかの作品と比べてもたどたどしくなっています。それはごく自然に制作当時の僕の英語のレベルというか、アメリカにいた頃より喋れなくなっていることを示していて、それが作品のあり方とリンクするので、あえて英語で話しました。

――以前沖縄で開催した上映会のアフタートークで、忘れかけていることを忘れないために英語を使ってご自身の声で話すとおっしゃっていたのが印象的でした（ミヤギフトシ上映会＋トーク、SAKATA KIYOKO studio、主催：NPO法人 raco、二〇一六年二月五日（金））。この作品で使われている音楽も象徴的なものといえますね。ベートーヴェンの……

ミヤギ――「弦楽四重奏一五番」という曲を使っています。音楽を使いたいと思いながらも、何を使うかということはずっと考えていました。ユニバーサルな音楽であるということが前提にありつつ、何がいいだろうかと考えたときに、ベートーヴェンの音楽が浮かびました。彼の音楽は第二次世界大戦中にさまざまなところで象徴的な役割を果たしていて、ドイツではヒトラーの誕生日に演奏されたりしていました。同時に連合国軍側でも、イギリスでは「運命」のはじめの五音連続で鳴る「ダダダダーン」のリズムが、モールス信号で勝利のV（victory）を意味するということで「V for Victory」というスローガンとして使われていたりしています。日本でも、同盟国であるドイツの音楽なので演奏されていた可能性があって、兵士が戦地に赴く前にベートーヴェンのピアノソナタを弾く、史実をもとにした小説もあります。当時は西洋の音楽は敵国の音楽として禁止されていたそうですが、ドイツの音楽だったからこそ演奏することも聴くこともできた。一九四五年の沖縄でアメリカ兵のラジオから流れる可能性はあったんじゃないかと思い、この曲を選んでいます。

映像に流れているのは第三楽章なのですが、ベートーヴェンはもともとこの第三楽章を考えていなかったともいわれます。「一五番」を作っていた彼が、作曲中に大病を患って死にかけるも、どうにか命を取り留めた。そのことを神に感謝するために楽章を追加したというエピソードがあって、それが作品ともリンクするかなと思い、この曲を選びました。

――おっしゃっていた小説は、『月光の夏』（毛利恒之）ですね。《The Ocean View Resort》の終盤のほうで月が上がっている映像がありますが、今回上演を割愛した《ロマン派の音楽》でも月はかなり重要な意味で使われています。

《花の名前／Flower Names》

――その次の《花の名前／Flower Names》に話を進めたいと思います。

《The Ocean View Resort》では、舞台が久米島ということもあって、戦中の物語にミヤギさんご自身の体験をからめて終わります。実体験を思わせる作品が多い中で、この《花の名前》で、冒頭に読み上げられていた物語は、ギリシャ神話をもとにしています。神話からはじまり、ご自身の体験を重ね、さらには兵士へのインタヴューがつづく……という幾つものストーリーが交差している、かなり複雑なつくりの作品です。

この作品、今日は上映のスタイルをとりましたが、インスタレーションではループ映像で紹介しています。つまり、最後のクロリスの歌が終わると、つづけて冒頭の神話に戻っていくんですね。本当に幾層にも物語が重なっている作品なので、何からお聞きすべきか迷いますが、作中に「曲が沖縄の女性のことを想わせた」という意味の発言がありますね。まずこの発言についてお聞きできますか？


ミヤギ──作品をつくる最初のきっかけが、レイナルド・アーンの「クロリスに」という歌曲を偶然知ったことにあります。「綺麗な曲だな」と思って調べていくうちに、作中にあるように、クロリスが西風の神ゼピュルスに乱暴されることによって、花の女神フローラとして花の園に囲われて暮らすという神話があることを知りました。とても残酷ではありますが、沖縄における状況や、豊川善一の小説『サーチライト』を連想してしまった。

そこからさらにいろいろと調べていくうちに、レイナルド・アーンがプルーストの恋人だったことが判ったり、プルーストの書いた『失われた時を求めて』の中でも、ボッティチェリ《春》に描かれたクロリスからフローラへの転身に言及があることを発見しました。そういったエピソードをつなげて、三章目の「In the Shadow of Young Girls In Flower」あたりまでの構成はできたのですが、最後をどう締めたらいいのだろうという問題が出てきました。

沖縄で誰かに「クロリスに」を歌ってもらいたいという考えは念頭にありましたが、この淡いラブソングが、作品冒頭の神話を知ったうえで聞くとものすごく悲しい歌になってしまうということに悩みました。たとえば沖縄人の女性が歌ったら暴力的な物語になってしまうし、アメリカ人の兵隊の男性が歌っても暴力的なものになってしまう……。いろいろとリサーチをしていたときに、基地内でドラァグショーをはじめたというグループの存在を知って、彼らにコンタクトを取ってそのひとりに歌ってもらいました。

個人的には、物語を締める映像が撮れたとは思ったのですが、やはりループになるので、最後に綺麗な恋物語の歌で終わっても、そのすぐ後に冒頭のフローラの物語に戻っていく。淡い恋物語の次に悲劇が待ち受けているというループになっていて、神話にはじまる負のスパイラルが、いまなお解けることなくつづいている……そういう構成となっています。

――冒頭のストーリーを知った後では、美しく歌い上げられることが、暴力的な側面を強めているように感じられる作品ですよね。

ミヤギ――この作品は、最初に丸亀市の猪熊弦一郎現代美術館で展示しました（グループ展「愛すべき世界」二〇一五年十二月二十日―二〇一六年三月二十七日）。このときはこういう構成でしたが、個人的にはあまりにも救いがないなとずっと思っていて……。丸亀の後は六本木クロッシングで見せたのですが、本日最後にお見せした映像を加えた構成に変更して、展示しました（グループ展「六本木クロッシング二〇一六展：僕の身体、あなたの声」森美術館、東京、二〇一六年三月二十六日―七月十日）。

《It's Life's Illusions I Recall》

ミヤギ――最後の映像は、沖縄人男性がジョニ・ミッチェルの「Both Sides Now」を歌っている、すごくシンプルな映像です。これをつくったのは、ドラァグクイーンを撮影した場所が北谷の美浜地区というところだったことがきっかけでした。後ろに観覧車などが見えてますが、そこはアメリカンビレッジというテーマパークみたいな商業地区です。もともと米軍基地だった場所が返還されて、何故かまたそこにアメリカをつくってしまっているという歪な場所であると同時に、道路を挟んで反対側にはまだ基地がある。撮影場所から沖縄側とアメリカ側が見えるという地点にもなっています。

撮影が終わってぼんやり外を見ていたら観覧車

が見えて、こういう情景を歌った曲を聞いたことがあるなとふと思い出したのが「Both Sides Now」でした。「Both Sides Now」でも観覧車のことが歌われたりしますし、「雲の両側を見た、人生の両側を見た、でもそれについて私は何も知らない」といったフレーズがありました。それを沖縄の人に歌ってもらうことで、終わりのない負の循環の外でちょっとした安らぎみたいなものを提示できたらと思い、つけ加えたのが最後の《It's Life's Illusions I Recall》という作品になります。

――ジョニ・ミッチェルは女性なんですが、ミヤギさんは歌い手に「沖縄人男性」を希望し、男性にこだわられた。そこには、《花の名前》と同じように、あえて違う性別にしたいという意図があったとうかがっています。

《The Ocean View Resort》でも、捕虜と米軍兵とのフェンスを越えた関係が描かれていました。《花の名前》においては、実際に基地の中で、地元の人と米軍兵とのフェンスを越えた関係があったことが示されていて、一歩踏み込んだリサーチがされていると思います。また、最後の《It's Life's Illusions I Recall》で舞台となっているのは、私たちが生れたときから目にしている基地と、基地ではない街との接点です。

この作品、男性が吸っているタバコや、カーテン、照明ランプといったアイテムが《The Ocean View Resort》と共通していますが、この作品も「American Boyfriend」のひとつとして、以前の作品に連なっているんですよね。

ミヤギ―そうですね。最初はあまり意識していなかったんですが、この時期につくった映像には――いまもそうかもしれないんですが――必ずといっていいほどレースカーテンが映っていますが、この作品でも途中でレースカーテンが登場するのです。さっきお話しした、海のような境界線だけでなく、レースカーテンのような境界線もあるということに気づいたんです。カーテンのように柔らかい境界というか、手を伸ばせば届くかもしれない境界もあると思いました。《花の名前》では基地の問題が出てきます。基地のフェンスのように、硬くて、向こう側に行けないような隔たりがあると同時に、すごく柔らかい隔たりもあるんだという気づきがあった……そういう作品です。

話は逸れますが、この場所も象徴的でした。窓の向こうに見えるのが、米軍の施設である那覇軍港です。もう返還されたか、そろそろ返還される場所で、その背後にあるのが自衛隊の基地で一番奥にあるのが那覇空港という、沖縄を象徴するような場所で撮った作品です。

――「境界」には、フェンスのように国家的なものだけではなく、誰しも自分以外の人と関わるときに含まれる隔たりのようなものもあると思うんですよね。そういった、知らず知らずのうちに引いてしまっている境界を、カーテンのように柔らかいものに見立て、ささやかな揺らぎで気づかせるという意図が、ミヤギさんの作品にはあるように思います。しかも、区切ってしまうだけでなく、その違いを受け止める余白のようなものが、それぞれの作品にあるように思うんです。

さまざまな物語

――これまで多くの作品が沖縄との関連でつくられている中、《いなくなってしまった人たちのこと／The Dreams That Have Faded》は、北海道を加えることで、沖縄以外の土地、さらには沖縄や北海道以外の地でも起きているであろう事柄に目を向けた、視野の広い作品になっていると思います。

最新作の《How Many Nights》（個展「How Many Nights」ギャラリー小柳、東京、二〇一七年七月七日―八月三十日）もこれまでとは違った手法で撮られているので、その話もしていただけますか。

ミヤギ――《花の名前》のインスタレーションをつくるまでは、それ以前の映像作品である《The Ocean View Resort》も含めて、沖縄が大きなテーマのひとつとしてあったんです。物語として沖縄における基地の問題やセクシュアリティの問題を作品に組み込んでいく中で、やはりその問題が沖縄だけではなく、ほかの土地でも、どの時代でも起こり得るものではないかという気づきがありました。札幌で展示している作品をつくるにあたって、沖縄以外の場所で、現代や近代とは違う時代に、境界を引かれた存在、海を渡った存在がいるんじゃないかというところで浮かび上がってきたのが、作品内でも語られている少数民族の人たちのことであったり、迫害を受け海を渡ってマカオやマニラに移住したキリシタンの人々のことでした。

去年の夏に東京で個展をやって、そこでは《How Many Nights》という映像を上映しました。そちらは二十世紀を生きた五人の女性たちの物語が、手紙だったり楽譜だったり、テクストでつながっていくという構成の作品になっています。沖縄も出てこないし、男性も出てこない映像作品です。女性という存在を主題にしたことがなかったということがきっかけで、果して僕が男性として女性にどこまでシンパシーを覚えられるかということを考えつつ、つくった作品になっています。物語という手法を使うと同時に「American Boyfriend」という大枠の中で、物語を使って別の問題を語ってみるという試みをしているのがここ数年の制作のテーマになっています。

——物語という点について補足しますと、ミヤギさんは最近は小説も発表していて、ブログもですが文章と映像がお互いに反応し合うような制作をされています。時間も限られていますので、その件については改めてお話しする機会が持てればと思います。急ぎ足でしたから十分ご説明できたかどうか不安ではありますが、皆さんご清聴ありがとうございました。

別図1
《Stranger #15》(《Strangers》[2005-06年]より)
Cプリント

別図2
《What I Meant Was》(2010年)
シングルチャンネルヴィデオ,カラー,サウンド
3:02

別図3
《Not My Cup of Tea》(2010年)
シングルチャンネルヴィデオ, カラー, サウンド
5:18

別図4
［上］《The Ocean View Resort》ほか ｜［下］《Photograph of an American Soldier, Torn》（2013年），オフセット
「American Boyfriend: The Ocean View Resort」（Raum1 F, 東京, 2013年）インスタレーションヴュー
撮影：ミヤギフトシ

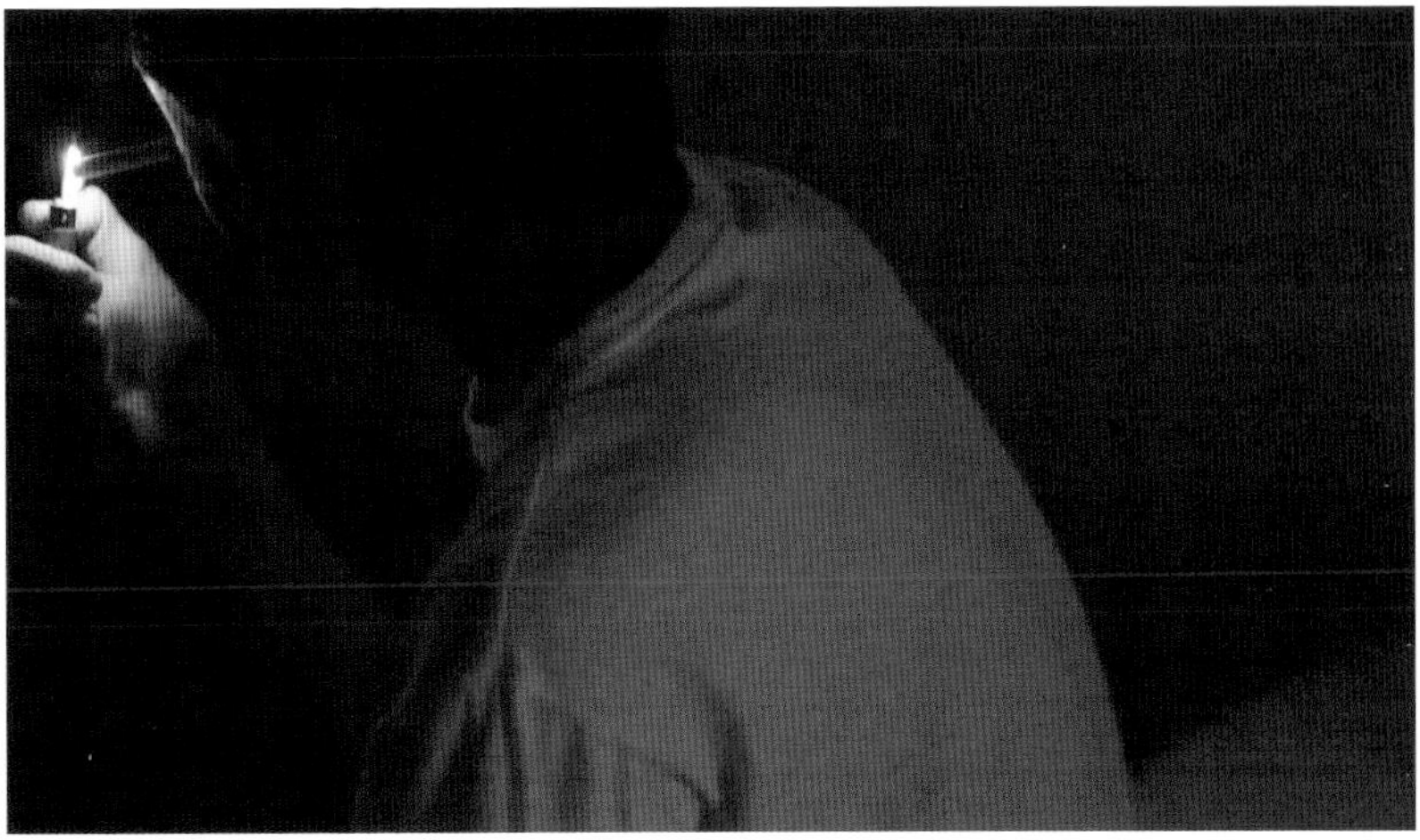

別図5
《The Ocean View Resort》(2013年)
シングルチャンネルヴィデオ, カラー, サウンド
19:25

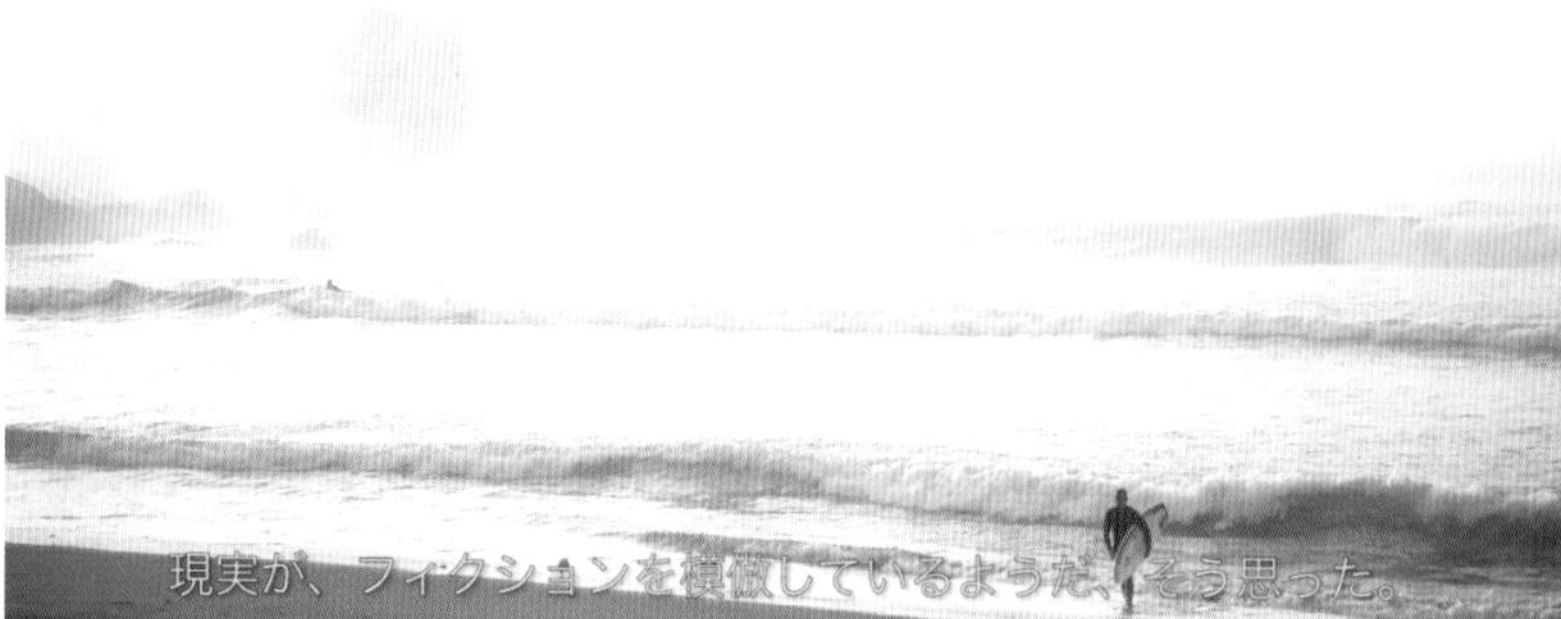
現実が、フィクションを模倣しているようだ、そう思った。

別図6
《ロマン派の音楽／A Romantic Composition》(2015年)
2チャンネルヴィデオ，カラー，3チャンネルオーディオ
21:14

別図7［上］
《花の名前／Flower Names》
「愛すべき世界」
（丸亀市猪熊弦一郎現代美術館，香川，2015-16年）
インスタレーションヴュー｜撮影：ミヤギフトシ

別図8［下］
《花の名前／Flower Names》
「六本木クロッシング2016展：僕の身体，あなたの声」
（森美術館，東京，2016年）インスタレーションヴュー
撮影：永禮賢｜写真提供：森美術館

別図9
《花の名前／Flower Names》(2015年)
シングルチャンネルヴィデオ, カラー, サウンド
20:59

別図10
《いなくなってしまった人たちのこと／The Dreams That Have Faded》
「アッセンブリッジ・ナゴヤ2020 現代美術展『パノラマ庭園 ── 亜生態系へ ──』」
（港まちポットラックビル, 愛知, 2020年）インスタレーションヴュー
撮影：冨田了平｜写真提供：アッセンブリッジ・ナゴヤ実行委員会

And strong wind wipes it out

別図11
《いなくなってしまった人たちのこと／The Dreams That Have Faded》(2016年)
5チャンネルヴィデオ, カラー, サウンド(ループ)
11:05

別図12
《How Many Nights》
「How Many Nights」(ギャラリー小柳, 東京, 2017年)インスタレーションヴュー
撮影:木奥惠三｜写真提供:ギャラリー小柳

別図13
《How Many Nights》(2017年)
シングルチャンネルヴィデオ, カラー, サウンド
37:15

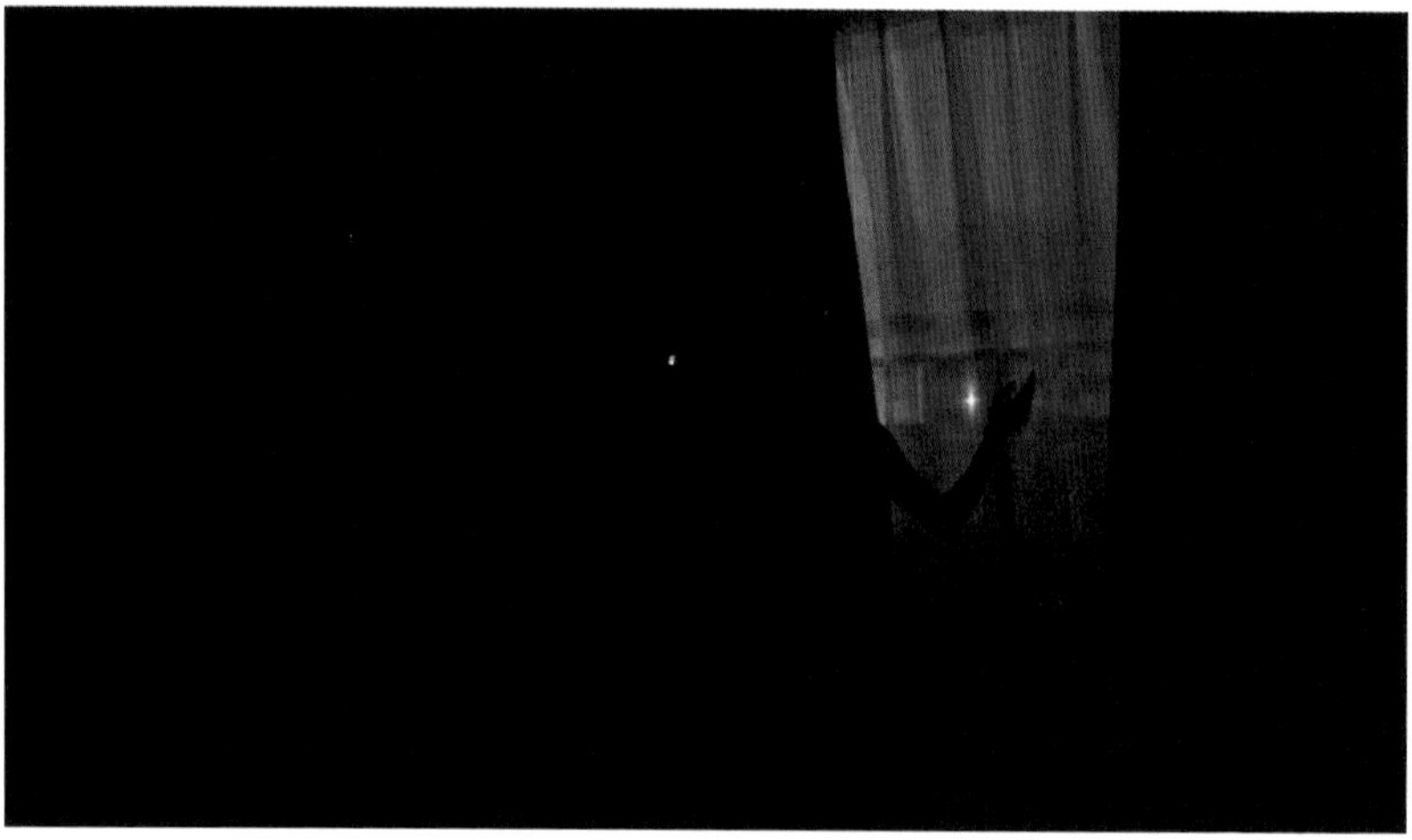

別図14
《感光の数分間／A Few Minutes of Sight Seeing #24》(2018年)
シングルチャンネルヴィデオ, カラー, サウンド
7:07

別図15
《感光／Sight Seeing #24》（2018年）
ミクストメディア

別図16
《Banner (from Road to Nominewee)》(2022年)
布, 糸
撮影：高橋健治｜写真提供：Yutaka Kikutake Gallery

資料編

ミヤギフトシの連想的作品世界——写真、動画、オブジェ、テクスト、インスタレーション

浅沼敬子

ミヤギフトシがはじめてカメラを手にしたのは、大阪の専門学校で英語を学んでいた十代のときのことだった。本書所収のインタヴューにあるように、当時流行していたLOMOというカメラを買ったのが、ミヤギのカメラとの出会いだったという。その後アメリカに渡り、ニューヨーク市立大学で写真を学んだミヤギは、見知らぬ人の自宅を訪ね、互いに恋人同士であるように装った写真シリーズ《Strangers》(二〇〇五—〇六年)［別図1］で、写真家、アーティストとしての活動を開始した。二〇〇六年、ミヤギは自身の最初の個展「Brief Procedures／簡単な手つづき」[1]で同写真を発表する(ダニエル・ライヒ・ギャラリー、ニューヨーク市、二〇〇六年)。

ニューヨーク市立大学に在籍し、アートと写真を学んだミヤギは、フェリックス・ゴンザレス＝トレスのインスタレーション、ボストン・スクールの写真などさまざまな表現に刺激を受けた。ミヤギにとって二回目の個展「Island of Shattered Glass／割れたガラスの島」(ダニエル・ライヒ・ギャラリー、ニューヨーク市、二〇〇七年)は、ロバート・スミッソンのインスタレーション《割れたガラスの地図(アトランティス)》(一九六九年)にインスパイアされたインスタレーション作品だった［図1］。ガラスの破片で伝説の島アトランティスを比喩的に「再現」したスミッソンの展示から想を得て、ミヤギは自らの故郷である沖縄の離島をめぐるインスタレーションをつくりあげた。展示室中央にシュ

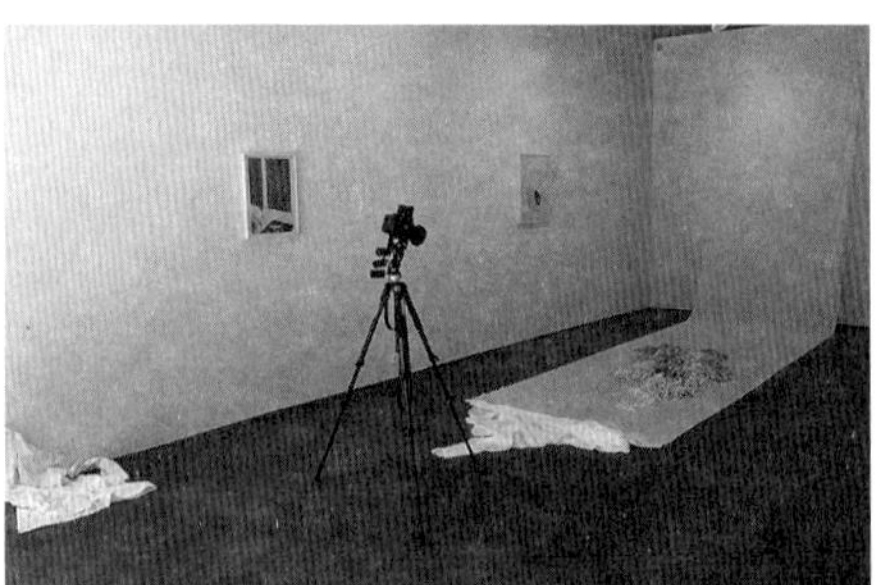

図1：「Island of Shattered Glass」
「Island of Shattered Glass」(ダニエル・ライヒ・ギャラリー, ニューヨーク市, 2007年)
インスタレーションヴュー｜撮影：ミヤギフトシ

レッドされた紙の山が置かれ、その紙の山を三脚上のカメラがうつし出す――ただし、すぐ前の対象にピントが合わないよう設定されているため、カメラのファインダーをのぞいても何か像が見えるわけではない。積み上げられた細断紙は、シュレッドされる前は沖縄の離島の光景を構成したカラフルなちぎり絵だった。そのちぎり絵は撮影され、額に入れられて写真として展示室の壁を飾ったが、白黒写真のためもとの色をそのまま伝えることはない。

この時期のミヤギは、自身や自身の過去の記憶やイメージと向かい合うためにも、否定的とも逆説的ともいえる仕方でカメラや写真を用いているように見える。大阪時代の古いアルバムから写真を引き抜いて燃やした残骸を作品化した《Untitled (An Old Album and Ashes of its Contents)／無題(古いアルバムと中身の灰)》、自身を撮影したフィルムを引き抜いて露光させた《Untitled (Self-Portrait, Twelve Rolls of Exposed Film)／無題(セルフポートレイト、十二本の露光されたフィルム)》(いずれも二〇〇六年)などが挙げられるだろうか。

「Author」

日本でのミヤギの最初の個展インスタレーションは、二〇〇九年の「Author」だった(ヒロミヨシイ、東京、二〇〇九年)[図2]。スペースのほぼ中央に配置された机の上には、カップや鉛筆、色鉛筆、メガネなどが無造作な様子で置かれていた。床には、書き込まれた大量の原稿用

図2:「Author」
「Author」(ヒロミヨシイ, 東京, 2009年)インスタレーションヴュー
撮影:ミヤギフトシ

紙が散らばる。これは、はじめ机の上に置かれていた三百枚ほどの原稿用紙が、扇風機の風に吹かれて散らばったものだという。ちぎり絵でかたちがつくられた後にはぎとられた人物の平面作品五点が壁に掛けられていた［図3］。

この原稿用紙のインスタレーション《Written for the Wind／風と共に綴る》（二〇〇九年）には、ミヤギ自身の記憶をもとにした自伝的物語が書かれていたという。もっとも、多くの人にとっておそらくそうであるように、ミヤギにとっても記憶の由来は曖昧である。自身の記憶と考えていたものが他の人に聞かされたものなのか、写真から得た情報なのかは、分からない。加えて、自身について書こうとすると、さまざまなレヴェルの虚飾も混じってしまう。ミヤギは執筆中そのことに思い至り、最終章には「でたらめのストーリー」を綴ることになったという。

図3：《Male A》
「Characters from a Novel」(2009年)より
ケント紙，鉛筆，折り紙

「Author」の展示室に置かれた机は、その「自伝」の執筆の場であり、ちぎり絵の平面作品は、その「自伝」的物語に登場する人物五人をかたどったものだったという。ただし、そのちぎり絵の人物部分の折り紙は剥がし取られ、荒らされた白い紙の表面が生々しくさらされていた。ミヤギは、「自伝」に登場する人物たちの写真は持っていなかった。あるいは使用しなかった。記憶だけをもとに、誰か他の人の姿を描き起こすのは至難の業である。結局ミヤギは、画面の人物の部分の折り紙を剥がして空白をつくったのだった。

オンライン・コミュニケーション

二〇〇七年に帰国したミヤギは、さしあたって東京に落ち着いた。ニューヨークで行った最初のプロジェクト《Strangers》で、ミヤギは、被写体の募集にSNSやインターネット上の掲示板を利用した。日本でも人とのつながりをつくろうとしたミヤギがはじめたのが、Skype越しに相手の顔写真を撮影する《You were there in front of me》(二〇〇七年—)だった。《Strangers》と違い、直接会うことのないSkypeでの撮影は、どのような印象を写真家に残したのだろうか。多くは撮影のみでやりとりが途絶えてしまうなか、例外的にやりとりをつづけることになった「マシュー」を大きく取り上げたのが、ミヤギの東京での二度目の個展「A Cup of Tea」(ヒロミヨシイ、東京、二〇一〇年)だった。ミヤギは、オンライン越しに撮った彼のポートレート写真からいくつかの作品を制作している(《Matthew (Ice Cream)》[図4]、《Old Picture (Bed)》、いずれも二〇一〇年)。インスタレーションには、白いシーツでつくられたテント《(We Exist in) A Tent》(二〇一〇年)が含まれていた。テントの中に設置されたモニターで、マシューがフルートを吹いている。ただし、テントを覆っているシーツを敢えてめくってみなければ観者はその映像を見ることはできず、フルートの音もじっさいには外にはほとんど聞こえない。シーツで囲われた、親密で排他的な空間——にもかかわらず、白のシーツは内側をちらちらと外に透かし見せてしまう。ここに、やりとりの親密さととなりあ

図4:《Matthew (Ice Cream)》(2010年)
ラムダプリント

う、オンラインのコミュニケーションのときに暴力的なほどの「透過性」を認めることもできるかもしれない。

動画

現在残るミヤギの最初の動画作品は、《Tokyo Tower, 2007》（二〇〇七年）かもしれない［図5］。被写体はミヤギ自身。室内で、窓を背にしたミヤギが、赤い毛糸のあやとりで東京タワーをつくろうとする。ただしつくり方を思い出せないのか、延々とつくろうとしてはやりなおす行為が繰り返される。

ミヤギはニューヨーク時代、使用するカメラをデジタルに変えた。それにより、デジタルカメラに付随する動画撮影機能を使用するようになる。前出の東京での個展「A Cup of Tea」には、初期の動画作品から《What I Meant Was》《Not My Cup of Tea》（いずれも二〇一〇年）が発表された。《What I Meant Was》［別図2］では、机の上のノートブックパソコンのウィンドウに、メールの送信画面がうつし出されている。キーボードの文字が打ち込まれていくが、画面に現れるのは意味不明の記号ばかり。明るい室内の光景に、ピアノに似た硬質でクリアな音楽が響きわたる。Mac のミュージックタイピング機能を使ったという、コミュニケーションとディスコミュニケーションの

図5：《Tokyo Tower, 2007》（2007年）
シングルチャンネルヴィデオ，カラー｜28:07

遊びのような映像作品といえるだろうか。《Not My Cup of Tea》［別図3］の「舞台」もやはりテーブルの上で、お湯とティーバッグの入った一客のティーカップが置かれている。マシューからだろうか、画面外のパソコンから呼び出し音が鳴り響くが、応答されることはない。ティーバッグから沁みでる紅茶の色がお湯を染めていく。やはり影を感じさせない明るい画面で、動画でありながら静かに色を変えていく静物画を見ているような、静謐な作品だ。

「American Boyfriend」

帰国後数年経って英語を忘れかけていた二〇一二年頃、ミヤギにとって切実な関心のひとつは言葉だった。あるいは、言葉だけでなく、言葉が体現する文化、帰属性といいかえてもよいかもしれない。さらにいえば、ミヤギの場合、言葉を使う際に直面せざるを得ない自らの性的アイデンティティの問題が大きな関心事でありつづけてきたのではないかと思う。動画作品《また会いましょう愛しき人よ》（二〇一二年）で、ミヤギは、三線の演奏を終えた若者が話し出す様子を思いのほか長く動画に残している。沖縄の伝統楽器と考えられている三線。その楽器でうたい終えた彼が外国語で話しはじめたとき、観る私たちは彼が沖縄人でも日本人でもないことにはじめて気づくことになるだろう。英語でのやりとりと、中国語とおぼしき日本人にとっての外国語が、三線という沖縄の楽器とのギャップを生みだす。ここで音楽は、言語や、三線が象徴するローカルな文化の帰属的性質から逸脱する媒体といえる。

ミヤギは二〇一二年「American Boyfriend」というブログを開設し、同プロジェクトのコンセプトのもと自身の見聞したものをいわば「オープンな日記」のように掲示するようになった。このブログからミヤギのさまざまな作品や活動が生れていく。「沖縄で沖縄人男性とアメリカ人男性が恋に落ちること」をステイトメントでうたった「American Boyfriend」。アメリカと沖縄という、暴力的不均衡の関係にあるふたつの存在、そして、社会、宗教によって抑圧されてきた同性間の恋愛という主題を孕んだこのステイトメントは、逆にいえば、暴力的不均衡に陥らず、社会的禁圧によってもかき消すことのできない人と人との関係へのひそやかな希望をうたったものなのかもしれない。同プロジェクトに含まれていく作品は、さまざまな時代に規範から外れてしまった人々、抑圧されていった人々の、比喩的な意味での「暗闇のなかでの」つながりを描きだす。

《The Ocean View Resort》

二〇一一年頃、ミヤギは自身の動画に声を重ねるようになる。波打つ海の情景にジャック・ケルアックの『路上』の一節を重ねた《Reading On the Road》(二〇一一年)、自身の実家やその周辺の情景にJ・D・サリンジャーの『フラニーとゾーイー』を読んだ《Reading Zooey at Home》(二〇一一年)は、いずれも、風景、情景の固定ショットにテクストが読み重ねられた、映像とテクストリーディングのいわば「平行的」作例といえる。なお、後者の《Reading Zooey at Home》は、二〇一六年、『フラニーとゾーイー』に他の物語を組み合わせて読み重ねた《This Madhouse: Reading Zooey (And Other Stories at Home)》として再制作された。

「American Boyfriend」の一作として制作された映像作品《The Ocean View Resort》は、本書の拙稿で詳述したように、スライドショーのようにうつり変わる島の固定風景ショットに、ミヤギ自身の声でナラティヴが重ね合わされた「平行的」作例の代表格といえる。ミヤギは、沖縄の離島で取材し、ブログにつづった映像やテクストを映像作品に昇華させた。

同作は二〇一三年に東京で、二〇一四年に京都で、インスタレーション形式で発表された［別図4―5］。本書所収のインタヴューで語られているように、ミヤギは同展に先立って、知り会った関係者に三通の印刷物を送った。三度にわたって送られた写真、テクスト、ポストカード、ポスター――ミヤギの作品は、インスタレーションであれ小説であれ、とめどなくつづく連想パズルのような趣があるが、これら一見してばらばらのアイテムもミヤギの作品世界へのピースたちと考えられないだろうか。《The Ocean View Resort》の東京での展示（Raum1F）では、壊れた砂時計（こぼれ落ちた砂が「I'll be back」の文字をかたちづくるが、かたちは部分的に崩れている）、半分が破り棄てられた米兵のポートレート写真、映画『八月十五夜の茶屋』（一九五六年）からの引用を刺繍した布などが一室に展示された。床には、ミヤギ自身が折り紙からコラージュしてつくったタバコの箱が置かれていた。壁に掛けられた海面写真は、動画内で「僕」とYの眺めたホテルからの海の眺めだろう。……これらのアイテムは、ミヤギが人々に送った印刷物やブログも含め、互いに関係づけられる。たとえば、ミヤギが郵送したポストカードが『八月十五夜の茶屋』と関わりのある那覇の料亭「松乃下」のものであったことは、本書所収のインタヴューでも触れられている。床に置かれた「Peace」のタバコの箱は、映像作品《The Ocean View Resort》内で登場人物のYが吸っていた「Hope」を示唆するものだった。二〇一四年、ミヤギは、京都市立芸術大学ギャラリー@KCUAと堀川団地で《The Ocean View Resort》を含むインスタレーション展（「American Boyfriend: Bodies of Water」）を行ったが、ここではジョニ・ミッチェルの歌詞を黒板に書く様子をうつし出した《River》（二〇一四年）などアイテムが追加され、隔てられた不均衡な世界の接触という「American Boyfriend」のテーマがさらに広い連想のもと展開された。

《ロマン派の音楽／A Romantic Composition》

《ロマン派の音楽／A Romantic Composition》（二〇一五年）［別図6］は、日産アートアワードのファイナリストに選出されたミヤギが、ファイナリストによる新作展に出展した映像作品である（「日産アートアワード二〇一五」BankART StudioNYK、神奈川、二〇一五年）［図6］。このときのインスタレーションは大きく二部構成となっていた。陳列ケースには、ベトナム戦争時代「雨だれ」と呼ばれていた沖縄人ピアニストを探す架空のリサーチの旅の記録が、「僕」から「ES」への手紙や記録写真のかたちで収められていた。

　この陳列ケースとともにインスタレーションを大きく構成したのが、ふたつのモニターで発表された映像作品《ロマン派の音楽／A Romantic Composition》だった。ふたつのモニターのうち、右モニターでベトナム戦争時の過去を語り起こすのが、主に、「雨だれ」というニックネームを持つ沖縄人の男性ピアニストである。もうひとつのモニターの主な語り手は、かつて沖縄の米軍基地からベトナムへ、パイロットとして従軍した米兵の息子である。父親は、かつて滞在した那覇のホテルでヴァイオリンを演奏したのが機縁で「雨だれ」と出会い、互いに心を通わせる時間を共有した。――いったんは異性と結婚をしたものの自らのセクシュアリティとの折り合いをつけることができず離婚する男性は、ミヤギの他の作品にも登場する。ミヤギの小説「ストレンジャー」（二〇一八年）には、いったんは女性と結婚して子どもをもうけるものの、自らのセクシュアリティゆえに離婚する男性が登場する。小説「アメリカの風景」（二〇一七年）に登場するクリスとジョシュの日本人とアメリカ人の両親は離婚しているが、ミヤギは二〇二二年の「Banners」展で、クリスとジョシュの母親の立場から物語を再構成し、そこでは彼らの父親のセクシュアリティが示唆される（「American Boyfriend: Banners」Yutaka Kikutake Gallery、東京、二〇二二年）。

沖縄編の映像の舞台のひとつは糸満の私設美術館キャンプタルガニーとその周辺[2]、アメリカ編の映像は、ミヤギの取材地のひとつサンフランシスコだったという。基地を見下ろす北中城のホテルからのショットも、おそらくは沖縄とアメリカの境界の視覚的例示として登場する。《The Ocean View Resort》で、暴力的不均衡を越えて沖縄人と米兵が心を通わせる媒体としてベートーベンの弦楽四重奏を導入したように、ミヤギは本作でも、バッハの「シャコンヌ」の数あるバージョンからピアノとヴァイオリンの二重奏を映像に挿入する。それによって、もの別れに終わったふたりの物語だけでなく、視覚的にも示される政治的境界を、音楽で接合しようとするのである。

ミヤギはさまざまな場所で《ロマン派の音楽》がイヴ・セジウィックの『男同士の絆[3]』に想を得てつくられた作品であることを明かしてきた。ひとりの女性をめぐるふたりの男性という「古典的」あるいは「典型的」な物語構造が実は男性同士の関係を深める排他的関係であるという同書の指摘は、ミヤギの作品では沖縄をめぐるアメリカと日本の関係に置き換えられているという。この分析は、おそらく、ミヤギが同作で引用した、米軍と芸者を組み合わせたアメリカ映画『八月十五夜の茶屋』により有効かもしれないと思う（同映画で、京マチ子はあからさまに日本的なものを表象しており、沖縄の踊りや衣装との対比が際立って見えた）。

他方、沖縄人ピアニストと米兵との関係を中軸とするミヤギの《ロマン派の音楽》で、日本はさほど重きを置かれていないようにも見え

図6：《ロマン派の音楽／A Romantic Composition》
「日産アートアワード2015」（BankART Studio NYK, 神奈川, 2015年）インスタレーションヴュー
撮影：木奥惠三

る。加えて、《ロマン派の音楽》のふたりの「主人公」——シャコンヌを弾き米兵たちを白けさせるヴァイオリニストと、米軍基地に音楽を聴きに押し入っていく沖縄人ピアニスト——は、いずれも、自らの帰属すべき国や社会を代表する存在ではない。とりわけベトナム戦争への従軍も、自らのセクシュアリティも公言できず苦しむ元米兵の疎外感は想像を絶するが、本作に導入される『八月十五夜の茶屋』からの引用「あなたは失敗ではない」が、米兵に対しても、そして彼の苦しみを想像する観る者に対しても、慰めの言葉となる。もしもミヤギがセジウィックを参照したとすれば、ミヤギがひき出したのはその権力構造よりもむしろ個々の男たちのつながりであり[4]、しかもその男たちは様々なかたちで国や社会から疎外されるか弱い存在だった。そう考えるべきなのだろうか。

《花の名前／Flower Names》

《The Ocean View Resort》、《ロマン派の音楽》では、全編ミヤギ自身がナレーションを担当した。それに対して、二〇一五年に発表された映像作品《花の名前／Flower Names》［別図9］は、作品を構成する五章のうち、ミヤギ自身が語りを担当するのは第三章「In the Shadow of Young Girls In Flower／花咲く乙女たちのかげに」のみである（「愛すべき世界」、丸亀市猪熊弦一郎現代美術館、香川、二〇一五—一六年／「六本木クロッシング二〇一六展：僕の身体、あなたの声」森美術館、東京、二〇一六年）［別図7—8］。《花の名前》は前二作と比較して、インスタレーションは簡素だが映像作品の内容は複雑化しているため、各章の内容を確認してみたい。

第一章の物語は、女性の声で語られる、ローマ神話の花の女神フローラのモノローグである。西風の神ゼピュロスに暴行されその妻となったギリシャ神話の妖精クロリスは、名をフローラに変え、とこしえに花々の生い茂る土地をつかさどる。フェンスで囲まれた花々と緑の生い茂る沖縄の映像が、フローラの物語と重ね合わされる。第二章の語り手は男性で、音楽の授業を受ける男子学生が講義内容を伝えるかたちで、モーツァルトのオペラ「アポロンとヒュアキントス」をめぐる物語、エピソードを語る。神話では、アポロンの恋人だった少年ヒュアキントスは、ふたりの関係に嫉妬したゼピュロスのさしがねで、アポロンの円盤に当たって死んでしまう。ヒュアキントスの流した血から咲いたとされるヒヤシンスが、丸亀の展示ではインスタレーションの中心をなしていた（会場内で球根からヒヤシンスが育っていく）。物語には悲劇的内容が含まれるが、学校の校内、授業中の生徒の後ろ姿をうつし出す映像は平凡で平穏に見える。ミヤギがヴォイスオーヴァーを担当する第三章は、「僕」と「ＥＳ」の会話によってナレーションが進行する。「アンブロワジー」という名のケーキから、ふたりの話題は作曲家レイナルド・アーンの楽曲「クロリスに」（一九一〇年代）へとうつっていく。映像は東京の街並み、隅田川周辺の光景をうつし出す。第二章で登場する後ろ姿の生徒とオーヴァーラップするように、街を歩く男性の後ろ姿がうつし出されるが、その男性が語りに登場する「ＥＳ」なのか、観る者にも判断がつかない。

クロリスを導きの糸とするこの作品は、暴行を受けた沖縄の女性たちだけでなく、暴力的に奪われた沖縄の土地をも強く示唆するように思う。本書所収のインタヴューにあるように、ミヤギは、「クロリスに」を誰に歌ってもらうか悩んだという。いうまでもなく、沖縄とアメリカのどちらの人に依頼しても、被害者と加害者の立場を強調することになってしまう。米軍基地内でドラァグショーをしているグループがあることを知ったミヤギは、グループのひとりにコンタクトを取り、最終的に空軍に所属するドラァグクィーンに歌ってもらうことになる。メイク途中の彼とミヤギとのやりとりを収めたのが本作第四章「The Soldier's Tale」であり、《花の名前》のクライマックスといえるドラァグクィーンによる「クロリスに」のリップシンク――背景は北谷のアメリカンビレッジである――が第五章「Chloris」である。

もっとも、米軍内でアウトサイダー的位置にある人に依頼したことで、沖縄と米軍の暴力的不均衡がなくなるわけではない。思うに、沖縄をクロリスに見立てることは、沖縄が蹂躙された状態に甘んじ、解放され得ないという意味をも示唆してしまう。ミヤギが同作の「救いのなさ」に言及するとき、どのような意味を込めているか私には推測するしかないのだが、奪われ、蹂躙された状態を甘受する状況のループに、ミヤギもおそらく悩んだのではないかと思う。ミヤギは、「六本木クロッシング二〇一六展」での同作二度目の展示で、ジョニ・ミッチェルの「Both Sides Now」を歌う男性を撮った短編映像《It's Life's Illusions I Recall》（二〇一六年）を展示した。本書所載のインタヴューでミヤギ自身が語っているように、この選択は救いのなさからの希望を込めてのことだったという。

《いなくなってしまった人たちのこと／The Dreams That Have Faded》

《いなくなってしまった人たちのこと／The Dreams That Have Faded》（二〇一六年）［別図11］は、二〇一六年のあいちトリエンナーレのコラムプロジェクト「交わる水――邂逅する北海道／沖縄」の展示のために制作された五チャンネルの映像インスタレーションである（初出：「交わる水――邂逅する北海道／沖縄」あいちトリエンナーレ、中央広小路ビル二階、愛知、二〇一六年）［参考：別図10］。他の参加アーティストより遅れて参加したミヤギには、沖縄と北海道というふたつの地をつなぐ作品の制作が求められていた。その要請に応えるべくミヤギが底本として選んだのが、津島佑子の小説『ジャッカ・ドフニ　海の記憶の物語』（二〇一六年）である。

同物語は、語り手の女性が北海道、網走市を訪れるところにはじまる。かつて息子と訪れた、同地にもなくなってしまった「ジャッカ・ドフニ」（ゲンダーヌさんというウイルタが建てた私設の少数民族資料館）に対する彼女の想起、想念は、チカップというアイヌと和人の混血の少女の物語につながっていく。孤児のチカップは、実の兄妹のような絆を結ぶジュリアンのいるキリシタンの一行とともに海を渡り、東北、九州、マカオ、バタビアなどさまざまな場を転々とする。ミヤギは、網走の「ジャッカ・ドフニ」跡地をはじめ、同書に挙げられた長崎やマカオなど各地をやはり固定ショットで撮影した。それらを編集し、会話のかたちでキリシタンの歴史を回想するヴォイスオーヴァーを付して各約十分五本の映像作品にまとめ、映像インスタレーションとして展示したのだった。沖縄は同小説の登場人物の経由地ではないものの、キリシタンの歴史に絡めてミヤギは撮影場所に選んでいる。映像がうつし出すのは、「現在の」各地の情景。名古屋では、会場に流れる波の音が、歴史の忘却を強調しているようだった。

本書所収の拙稿に記したように、逆照射的に自己を指示する従来のミヤギの作品に対して、語り手のひとりがミヤギに半ば比定され得るとはいえキリシタンの歴史に取材した《いなくなってしまった人たちのこと》は、従来のミヤギの路線からは逸脱する側面を持っている。思えば、ミヤギの作品に登場しつづけてきた海は、境界からの逸脱の場でもあった。チカップや同行者たちは、あるときは「国」を持たず、あるときは「国」を追われ、海上を彷徨うアウトサイダーたちである。海を介したさまざまな土地をうつし出したこの作品は、改めて、ミヤギ作品における海の意味を私たちに考えさせる。

《How Many Nights》

最初の写真プロジェクト《Strangers》から、自らのセクシュアリティの表明でもありつづけてきたミヤギの作品は、それゆえに、長く（生物学的な意味で）男性たちの物語でもあった。対して、既述した二〇二二年の「Banners」展ではセクシュアル・マイノリティのアメリカ人男性をかつて愛した女性が語り手であったように、最近のミヤギは女性の物語に意識的に取り組んでいる。そのはじまりを、二〇一七年発表の映像作品《How Many Nights》［別図13］に見ることができるかもしれない（「How Many Nights」ギャラリー小柳、東京、二〇一七年）［別図12］。

《花の名前》と同じく五章からなるこの映像作品で、各章はそれぞれ別の女性たちの物語である。第一章は小説家「オノト・ワタンナ」のモノローグ。かつて日本に住んでいたというこの小説家は、自身の日本の記憶の薄れるなか、東京を舞台とした小説（『A Japanese Nightingale』）を書きはじめる。読み上げられる小説の情景描写が、詩のように美しい。映像に登場するのは、暗闇のなかノートに万年筆で文字を書きつける後ろ姿の女性。そこに、薄闇、暗闇の風景のショットが挿入される。第二章のナレーションは、第二次世界大戦末期、空襲と密告を恐れつつ密かにピアノを弾く女性の手紙形式の語りである。映像には、やはり暗闇のなかでピアノに向かい、クララ・シューマンの「夜想曲」を（敵国フランスの作曲家であったモーリス・ラヴェルの楽譜に代えて）弾くひとりの女性が登場する。ここでも暗闇の風景ショットが挿入される。第三章も手紙形式の語りである。三人目の女性は、マンザナーでの日常を、おそらく大学時代の友人に書き綴る。かつての日々に思いを馳せるたわいのない内容だが、マンザナーが太平洋戦争中日系アメリカ人を収容する強制収容所のあった場所であることを考えあわせたとき、彼女の言葉のひとつひとつ、とりわけ

「How many nights have I spent here…／どれだけの夜をここで過ごしたでしょう」が重みを帯びる。映像には、写真がいくつも貼られた白い壁を前に手紙を書く女性が登場する。四人目の女性が、「東京ローズ」。太平洋戦争の開戦により、滞在していた日本から故国アメリカに帰れなくなった彼女は（ただし、映像で帰国がかなわなくなった理由は明示されない）、ラジオ東京で連合国軍兵士向けの放送に従事する。映像には、「ローズ」を示唆するのか、夜明けあるいは夕刻を示唆するのか、紫味を帯びたピンク色を背景に、マイクを前に座る女性の後ろ姿がうつし出される。たびたび挿入される暗い海の情景は、故国から離れて、南の島々で彼女の声に耳を傾けるアメリカ人兵士たちの存在、あるいは彼らの死を示唆するだけでなく――それは同時に彼らの敵である日本兵の死をも意味する――、語り手の「東京ローズ」を含め、帰属する国、社会、文化から切り離されてしまった人々の絶望的な寄る辺なさを示唆しているのだろうか。最終第五章に登場の女性は、第二章の女性が手紙を書いた熊野の女性である。映像には、やはり暗闇のなか、ちゃぶ台に向かってものを書く女性が登場する。繰り返し挿入される風景映像、とくに夜の桜の情景が、『A Japanese Nightingale』の表紙を思わせる。ふたりはかつてともに文化学院で学び、心を通わせていたことが、語りからうかがえる。その文化学院は大戦中捕虜の収容所となり、陸軍参謀本部も置かれた。英語ができたためにそこで働いた彼女は、後に、テレビ東京のラジオ番組のＤＪに日系アメリカ人女性が関わっていたことを知る。こうして第二章と第四章、第五章の女性たちはつながる。第二章の女性と第五章の女性は、第一章に登場するオノト・ワタンナの『A Japanese Nightingale』を読む（なお、オノト・ワタンナが実際は中国系カナダ人であったことは第五章で明かされる）。第四章の「東京ローズ」のモデルの少なくともひとりが日系アメリカ人であり、アメリカにいる彼女の家族が強制収容所に入れられたこと（入る前に亡くなった家族もいる）を想起すれば、第三章と第四章の女性がつながるのである。もっとも、注意深く本作を観る人はさらに多くのつながりを本作の女性たちに見出すことだろう。

第四章の「東京ローズ」をのぞいて、本作の画面を支配するのは薄闇、暗闇である。他方、各章のテーマとなる音楽が長尺で挿入されるため、全編を通しで観た人は、視覚以上に聴覚の至福を味わうことになるだろう。この暗闇を、ネガティヴに捉えれば、彼女たちをとり巻く、とりわけ戦争という絶望的状況の表象と見ることもできる。他方でその暗闇は、彼女たちが比喩的な意味で「身を隠し」「身を寄せ合い」また内省する場でもある。ミヤギの他の作品と同じく、彼女たちはしばしば星空を眺める。第二章の女性は、第五章の女性と熊野で見た夏の星空を回想する。

第三章の女性もまた、かつて手紙の相手の女性と見た夏の夜空に思いを馳せる（検閲をおそれて、彼女の手紙で夜空を一緒に見た相手は「ボーイフレンド」に置き換えられている）。彼女たちが見上げる織姫と彦星は、別れ別れとなった顛末を示唆してもいるが、夜の闇がなければ彼女たちは地上の時空間からあまりにも遠く隔たった星の光を見ることもないだろう。夜空はどこか海と似て、現実からの逃避をも意味し得る。

ミヤギは、この《How Many Nights》を、小説「幾夜」（二〇二一年）や、二〇二二年の第八回椿会のグループ展などで展開してきた（「第八次椿会　このあたらしい世界 2nd SEASON "QUEST"」資生堂ギャラリー、東京、二〇二二年）。小説版では、映像版《How Many Nights》の第二章と第五章の女性が、千代と雪子の名で、部分的にその役割を変えつつ物語を展開する。映像作品《How Many Nights》と異なり、小説「幾夜」において地元に帰る雪子に対して、東京に残って陸軍本部に出入りするようになるのは沖縄出身の千代である。小説版「幾夜」については、本書所収のシュテファン・ヴューラーの論考を参照されたい。

《感光／Sight Seeing》

《感光／Sight Seeing》［別図15］は、二〇一一年にミヤギが開始した写真シリーズで、二〇二二年現在、三一作目を数える。本書所収の拙稿に書いたように、ニューヨークから帰国後のミヤギには日本社会がとりわけセクシュアル・マイノリティに対して閉塞的に感じられ、そこから暗闇の中での撮影を思いついたのだという。見知らぬ男性のもとを訪ねて撮影するのは《Strangers》と同じだが、《感光》でミヤギが男性たちのもとを訪ねるのは夜であり、部屋の明かりを消して暗闇のなかで撮影が行われる。撮影されるのは男性のポートレートであり、同時に別のカメラで撮影の様子を動画で記録しているため、一度の撮影で、被写体のポートレート写真のほか撮影前後の動画映像がつくられる。後者は《感光の数分間／A Few Minutes of Sight Seeing》［別図14］と名づけられ、《感光》の対作品シリーズとして、しばしば組み合わせて展示される。

ミヤギはこのシリーズを二〇一八年に東京都写真美術館で写真と動画を別々の部屋に展示するかたちで発表し（「小さいながらもたしかなこと　日本の新進作家展 vol.15」東京都写真美術館、東京、二〇一八年）、二〇二二年にはそのシリーズの後続を東京、南青山で発表したほか（「American Boyfriend: Portraits」void+、東京、二〇二二年）、被写体のひとりに「クリス」に扮してもらい、オンライン越しに相手（＝「クリス」）のポートレートを撮影するという半ばフィクショナルな映像作品として展開させている（「American Boyfriend: Banners」Yutaka Kikutake Gallery、東京、二〇二二年［別図16］）。後者の作品は、「クリス」の母親の回想の映像と接続されてひとつづきの映像作品として発表された。

ミヤギにとって、最初の小説は二〇〇九年のヒロミヨシイでの個展「Author」に展示された《Written for the Wind／風と共に綴る》なのだろう。しかしミヤギはホームページなどで、十代の頃ショートストーリーを書いたことを明かしている[5]。高い塀で囲まれた町に住む男の子が、その塀を登る蜘蛛を毎日払い落としていたものの、ある日とうとう塀の上にきらめく蜘蛛の糸を見つけるという内容だったという。

蜘蛛の糸と直接的な関係があるかどうかは分からないが、糸は、毛糸や刺繍糸といったかたちで、ミヤギ作品に頻出する[図7]。ミヤギの最初期の映像作品《Tokyo Tower, 2007》（二〇〇七年）は、赤い糸のあやとりで東京タワーをかたちづくろうとしてうまくいかない映像だった。ミヤギはこの映像作品を、二〇一六年、壊れた東京タワーのスノードームにグリッターが雪のように積もる《Winter》、クリップとピンで壁に留められた破れたポストカードの下に、きらきらしたグリッターで東京タワーのかたちをつくった小インスタレーション《Tokyo Tower／東京タワー》（二〇〇九年）、そして赤い毛糸で文字をかたちづくった《1970》（二〇一六年）などと一緒に展示した（「東京と、タイムマシンと、」Yutaka Kikutake Gallery、東京、二〇一六年）。《1970》で赤い毛糸の文字がつづるのは、冨村順一という沖縄人活動家が東京タワーを占拠した一九七〇年の事件であり、同じ展示に含まれた破り捨てられた東京タワーや壊れた東京タワーの置物などと並んで、

図7：《After the War》（2022年）
紙, 糸
撮影：森政俊

沖縄の視点から見た東京タワー（ここでは戦後日本のひとつの象徴と見るべきだろう）の抑圧性を思わせる。

ミヤギは、二〇〇九年の「The Cocktail Party」以降、刺繍作品を継続してインスタレーションに含めてきた（「The Cocktail Party」ダニエル・ライヒ・ギャラリー、ニューヨーク市、二〇〇九年）。刺繍されるのは、歌詞や引用など文字のときもあれば図のときもあり、通底する性質をいい当てることは私にはまだできそうもない。印象的だったのは、二〇二二年の「Portraits」展で、ミヤギが《The Ocean View Resort》などで取り上げてきた、破れたアメリカ人兵士の写真をもとに、アメリカ人兵士と肩を寄せ合う日本人とおぼしき男性が刺繍された作品が展示されていたことだろうか。かなうことのなかった、あり得たかもしれない過去のイメージのステッチ。そこには、糸によって隔たったものを縫いひろい、縫い合わせていこうとする、切ない希望が垣間見えるような気がする。

［注］

1 「Brief Procedures」（「簡単な手つづき」）は、ミヤギが《Strangers》シリーズの被写体を募集する際に使っていた表現だった。「［……］手つづきは簡単です（OK, here's the brief procedure）が、少し普通ではないかもしれません。私をあなたの部屋に連れて行っていただき、あなたと私の写真を撮らせていただきたいのです」（ミヤギが当時送った一メールからの抜粋の和訳）。じっさいの撮影は手間や時間を要することが多く、必ずしも簡単ではなかった。

2 キャンプタルガニーのオーナーの回想が、同作の一インスピレーション源となったという。

3 Eve Sedgwick, *Between Men: English Literature and Male Homosocial Desire*, Columbia University Press, 1985.〔邦訳：イヴ・K・セジウィック『男同士の絆――イギリス文学とホモソーシャルな欲望』上原早苗、亀澤美由紀訳、名古屋大学出版局、二〇〇一年。〕

4 ミヤギは《ロマン派の音楽》のもうひとつの理論的参照点として、ジュディス・バトラーの『戦争の枠組』を挙げている。Judith Butler, *Frames of War: When Is Life Grievable?*, Verso, 2009.〔邦訳：ジュディス・バトラー『戦争の枠組――生はいつ嘆きうるものであるのか』清水晶子訳、筑摩書房、二〇一二年。〕

5 Futoshi Miyagi, To Where Spider Flies／蜘蛛の飛ぶところ（https://fmiyagi.com/works/405/）。

ミヤギフトシ略歴

［作成：郡田尚子］

1981 沖縄県に生まれる。
2005 ニューヨーク市立大学シティ・カレッジ美術学部を卒業。
ニューヨークの「Printed Matter, Inc.」に勤務する。
2007 帰国。以後、東京在住。
2015 「日産アートアワード二〇一五」（第二回、主催：日産自動車株式会社）ファイナリスト（七名）に選出される。
2017 TOKAS Residency（ロンドン）に参加する。
2018 第四十四回（二〇一八年度）木村伊兵衛写真賞（主催：朝日新聞社・朝日新聞出版）にノミネート（六名）される。
2022 現在、東京のセレクトブックショップ「UTRECHT」のスタッフ、
アーティスト・ラン・スペース「XYZ collective」共同ディレクターを勤める。

展覧会歴

［個展］

2006 *Brief Procedures*, Daniel Reich Gallery, New York City, USA.
2007 *Island of Shattered Glass*, Daniel Reich Gallery, New York City, USA.
2009 *The Cocktail Party*, Daniel Reich Gallery, New York City, USA.
「Author」ヒロミヨシイ、東京。
2010 「A Cup of Tea」ヒロミヨシイ、東京。
2012 「American Boyfriend」AI KOWADA GALLERY、東京。

2013 「American Boyfriend: The Ocean View Resort」Raum1F、東京。
「New Message」POST、東京。
2014 「American Boyfriend: Bodies of Water」京都市立芸術大学ギャラリー @KCUA、堀川団地、京都。
2017 「How Many Nights」ギャラリー小柳、東京。
2018 「いなくなってしまった人たちのこと／The Dreams That Have Faded」CAI02、北海道。
2021 「In Order of Appearance」miyagiya ON THE CORNER、沖縄。
2022 「American Boyfriend: Portraits and Banners」void+, Yutaka Kikutake Gallery、東京。

［グループ展］

2005 *Group show*, Green Street Gallery, Brooklyn, New York City, USA.
Affair, Jazz on the Park Youth Hostel, New York City, USA.
2006 *When Fathers Fail*, Daniel Reich Gallery, New York City, USA.
2007 *The Male Gaze*, POWERHOUSE ARENA, New York City, USA.
d(e)scape, Onishi Gallery, New York City, USA.
2008 *25 Under25: Up-and-Coming American Photographers Exhibition, Volume 2*, Tisch School of the Arts at NYU, New York City, USA.
Anti-Hero, Mountain Fold Gallery, New York City, USA.
2009 *Intimate Acts*, Perth Institute of Contemporary Art, Perth, Australia.
2010 *Holes*, Daniel Reich Gallery, New York City, USA.
BigMinis: Fétiches de crise, CAPC (musée d'art contemporain), Bordeaux, France.
2013 「Blue Valentine」XYZ Collective、東京。
2014 *Man & Play*, Brennan & Griffin, New York City, USA.
2015 「VOCA展：現代美術の展望——新しい平面の作家たち」上野の森美術館、東京。
「他人の時間／Time of others」東京都現代美術館、東京。国立国際美術館、大阪。Singapore Art Museum, Singapore.

「Japanese Nightingale Doesn't Sing at Night」Curated by American Boyfriend, XYZ collective、東京。

「日産アートアワード二〇一五 ファイナリスト七名による新作展」BankART Studio NYK、神奈川。

「愛すべき世界／Our Beloved World」丸亀市猪熊弦一郎現代美術館、香川。


2016 「Memories/Things」Open Letter、東京。

「東京と、タイムマシンと、」Yutaka Kikutake Gallery、東京。

「囚われ、脱獄 『今日の始まり』」駒込倉庫、KAYOKOYUKI、東京。

「六本木クロッシング二〇一六展：僕の身体、あなたの声」森美術館、東京。

「他人の時間／Time of others」Queensland Art Gallery | Gallery of Modern Art, Brisbane, Australia.

「交わる水——邂逅する北海道／沖縄」（「あいちトリエンナーレ二〇一六：虹のキャラバンサライ」内）、中央広小路ビル（栄会場）、愛知芸術文化センター、愛知。

「蜘蛛の糸 クモがつむぐ美の系譜——江戸から現在まで」豊田市美術館、愛知。

「台湾国際ビデオアート展——負地平線 Negative Horizon」鳳甲美術館、台北、台湾。

「世界の向こう側へ」京都芸術センター、京都。

2017 *Transit Republic*, Arena 1, Santa Monica, CA, USA.
Almost There, Jorge B. Vargas Museum, Manila, Philippines.
Condition Report: Mode of Liaisons, Bangkok Art and Culture Center, Bangkok, Thailand.
「犬死にか否か／To Die in Vain (or Not)」タリオンギャラリー、東京。
「六人の灰色区域」Gallery Trax、山梨。
「ヒツクリコ ガツクリコ ことばの生まれる場所」アーツ前橋／前橋文学館、群馬。

2018 「近くへの遠回り——日本・キューバ現代美術展」Centro de Arte Contemporáneo Wifredo Lam, Havana, Cuba.
Kiss in Tears, Freedman Fitzpatrick, Los Angeles, CA, USA.
「二十一世紀の美術 タグチ・アートコレクション展 アンディ・ウォーホルから奈良美智まで」平塚市美術館、神奈川。
「六人の灰色区域」OLDHAUS、東京。
「近くへの遠回り——日本・キューバ現代美術展帰国展」スパイラルガーデン、東京。

「Closed Windows」XYZ collective、東京（キュレーション）。

「小さいながらもたしかなこと 日本の新進作家 vol.15」東京都写真美術館、東京。


2019 「世界を開くのは誰だ？」豊田市美術館、愛知。

「予兆の輪郭――トーキョーアーツアンドスペース レジデンス二〇一九 成果発表展――」（第二期）、トーキョーアーツアンドスペース、東京。

「話しているのは誰？ 現代美術に潜む文学」国立新美術館、東京。

「現在地：未来の地図を描くために［1］」金沢21世紀美術館、石川。

「作家と現在 ARTISTS TODAY」沖縄県立博物館・美術館、沖縄。


2020 「現在地：未来の地図を描くために［2］」金沢21世紀美術館、石川。

「サッポロ・アート さよなら昭和ビル」CAI02、北海道。

「Assembridge NAGOYA 2020」名古屋港〜築地口エリア一帯、愛知。

2021 「第八次椿会 このあたらしい世界 1st SEASON"IMPETUS"」資生堂ギャラリー、東京。
「ぎこちない会話への対応策――第三波フェミニズムの視点で」金沢21世紀美術館、石川。

2022 「愛と平和をまもるモノ（仮）」Yutaka Kikutake Gallery、東京。

「コレクション1 遠い場所／近い場所」国立国際美術館、大阪。

「第八次椿会 このあたらしい世界 2nd SEASON"QUEST"」資生堂ギャラリー、東京。

「コレクション展2 Sea Lane - Connecting to the Islands 航路――島々への接続」金沢21世紀美術館、石川。

参考文献一覧

［作成：郡田尚子］

ミヤギ自身によるもの

— "Affair Goes Public," co-authored by Mercedes Cueva, edited by Matt Keegan, *North Drive Press*, 2nd Issue, June, 2005, pp.3-4.
（新進アーティストを紹介したボックス型の冊子・作品集）

—『Strangers vol.1』（私家版）、二〇〇五年。

—『Strangers vol.2』（私家版）、二〇〇六年。

— *It's Snowing in My Bedroom*, Daniel Reich Gallery, 2007.

—『Untitled (You were there in front of me)』（私家版）、二〇〇九年。

—『sight seeing』（私家版）、二〇一〇年。

—『OSSU vol.1：日本男児 Issue』（私家版）、二〇一一年夏号、六五—七三頁。

—「無題」、森栄喜写真集『tokyo boy alone』自轉星球、二〇一一年、頁記載なし。

—『OSSU vol.2：ハンサム Issue』（私家版）、二〇一二年、六五—八〇頁。

—『new message』（第一・二版）、torch press、二〇一三年。

—『OSSU vol.3：パイナップル Issue』（私家版）、二〇一三年、三六—四三頁。

— "A Kiss," *Queer Zines 2*, Printed Matter, Inc., New York, 2014, p. 257.

—「American Boyfriend: Bodies of Water」『美術手帖』二〇一四年七月号、美術出版社、一一三—一二八頁。

—「Queer」（「特集　アンディ・ウォーホルのＡＢＣ」）『美術手帖』二〇一四年三月号、美術出版社、九二—九三頁。

—「東京のタワーと沖縄のフェンス」『新潮』二〇一四年五月号、新潮社、二二四頁。

—「変容と乱交——ニューヨークのクィアカルチャーをめぐって」『ユリイカ』二〇一四年一月号、青土社、一七九—一八六頁。

—「モームとL PACK の八月」『疾駆／chic』二〇一四年第三号、九六—九九頁。

―「ヴォルフガング・ティルマンス　Your Body is Yours　世界の細部、場違いなEncouragement」『REALKYOTO』二〇一五年八月六日（https://realkyoto.jp/review/miyagi-futoshi_wolfgang-tillmans/）。

―「リサーチ／アーカイブ／ナラティブ」（下道基行・佐々瞬・飯山由貴との座談会、司会：西川美穂子）、『美術手帖』二〇一五年五月号、美術出版社、九六―一〇一頁。

―「連載01　村田沙耶香の小説で問う『正常な世界』とは？」『美術手帖　ウェブ版』二〇一五年十月十九日（https://bijutsutecho.com/magazine/series/s2/248）。

―「モームとL PACKの十二月」『疾駆／chic』二〇一五年第四号、六四―六七頁。

―「モームとL PACKの三月」『疾駆／chic』二〇一五年第五号、一一四―一一九頁。

―「モームとL PACKの六月」『疾駆／chic』二〇一五年第六号、一一六―一一九頁。

―「Futoshi Miyagi-Y（2011-2016）」『美術手帖』二〇一六年四月号、美術出版社、七八―八二頁（綴じ込み頁「OSSU BT SPECIAL」）。

―「アピチャッポン・ウィーラセタクンの魅力を語る（前編・後編）」（ホンマタカシとの対談、構成：小林英治）、『DOTPLACE』二〇一六年四月六日（http://dotplace.jp/archives/21919, http://dotplace.jp/archives/21950）。

―「十年前、ニューヨークで作家活動を始めた頃（2003.9 ～ 2007.8）」『NEWYORKER MAGAZINE』二〇一六年九月二十七日（https://www.ny-onlinestore.com/shop/pages/magazine-people-new-york-lives-9522-.aspx）。

―「米軍兵のDrag Queen」（「特集　LGBT――海の向こうから」）『すばる』二〇一六年八月号、集英社、一三四―一三五頁。

―「日産アートアワード二〇一五　ファイナリスト：ミヤギフトシ」（制作：「日産アートアワード」企画・運営事務局［AIF］）、二〇一六年四月十八日（https://www.nissan-global.com/JP/CITIZENSHIP/NAA/NAA2015/FINALIST/05/）。

―「モームとL PACKの十月」『疾駆／chic』二〇一六年第七号、七八―八一頁。

―「連載02　田中慎弥の小説に見る、地方からの視線。」『美術手帖　ウェブ版』二〇一六年一月十六日（https://bijutsutecho.com/magazine/series/s2/264）。

―「連載03　滝口悠生の小説に見る、記憶と物語。」『美術手帖　ウェブ版』二〇一六年二月三日（https://bijutsutecho.com/magazine/series/s2/269）。

―「連載04　柴崎友香の小説に見る、十年後と一年後」『美術手帖　ウェブ版』二〇一六年二月二十日（https://bijutsutecho.com/magazine/series/s2/274）。

―「連載05　上田岳弘に見る、二つの塔のある世界」『美術手帖　ウェブ版』二〇一六年三月十九日
（https://bijutsutecho.com/magazine/series/s2/281）。
―「連載06　児童文学家・石井桃子の人生の面影を追う」『美術手帖　ウェブ版』二〇一六年四月十七日
（https://bijutsutecho.com/magazine/series/s2/292）。
―「連載07　津島佑子の遺作から。歌という渡り鳥。」『美術手帖　ウェブ版』二〇一六年五月二十日
（https://bijutsutecho.com/magazine/series/s2/300）。
―「連載08　長崎で見る遠藤周作と青来有一への連なり」『美術手帖　ウェブ版』二〇一六年六月三十日
（https://bijutsutecho.com/magazine/series/s2/314）。
―「連載09　根付が見届けた欧州一家の歴史と運命」『美術手帖　ウェブ版』二〇一六年九月十一日
（https://bijutsutecho.com/magazine/series/s2/337）。
―「連載10　リービ英雄の台湾、その見果てぬ家郷」『美術手帖　ウェブ版』二〇一六年十一月二日
（https://bijutsutecho.com/magazine/series/s2/360）。
―「連載11　基地の町、村上龍が描いたオキナワの影」『美術手帖　ウェブ版』二〇一六年十二月十五日
（https://bijutsutecho.com/magazine/series/s2/378）。
―「アメリカの風景」『文藝』二〇一七年夏号、河出書房新社、五〇―八六頁。
―「いまを生きる作家たちの対話　イメージに立ち現れる物語と風景」（横田大輔との対談、ナビゲーター：アイヴァン・ヴァルタニアン）、
『IMA』二〇一七年夏号、五九―六三頁。
―「海辺の記憶」『ヒックリコ　ガックリコ　ことばの生まれる場所』左右社、二〇一七年、一〇八―一一六頁。
―「解剖学者・布施英利と現代美術作家・ミヤギフトシが語る、アートの本質」（布施英利との対談、編集・執筆：水島七恵）、
『日本財団　DIVERSITY IN THE ARTS』二〇一七年（https://www.diversity-in-the-arts.jp/stories/3829）。
―「暗闇を見る」『文藝』二〇一七年秋号、河出書房新社、二九八―三四六頁。
―「二〇〇五年のプラシーボ」（「特集　アメリカ文化を読む」）、『ユリイカ』二〇一七年一月号、青土社、二三二―二三七頁。
―『灰色区域　第三号』小熊猫出版（Baby Panda Printing）、二〇一七年、二五―三二頁。
―「風景の上書き保存」『美術手帖』二〇一七年九月号、美術出版社、六八―七一頁。

―「モームとNAKAYOSIの十月」『疾駆／chic』二〇一七年第八号、五八―六三頁。

―「モームとL PACKの一月」『疾駆／chic』二〇一七年第九号、八六―九一頁。

―「モームを探して八月」『疾駆／chic』二〇一七年第十号、八二―八九頁。

―「連載12「他者」を迎える場所、舞城王太郎の奇譚を訪ねて」『美術手帖 ウェブ版』二〇一七年二月十二日
(https://bijutsutecho.com/magazine/series/s2/1858)。

―「連載13「アメリカの風景」何かに触れずに、それについて語ること」『美術手帖 ウェブ版』二〇一七年四月二十四日
(https://bijutsutecho.com/magazine/series/s2/3666)。

―「連載14 黒川創『暗殺者たち』『きれいな風貌：西村伊作伝』交わった者たち、交わらなかった者たち」

『美術手帖 ウェブ版』二〇一七年五月二十三日 (https://bijutsutecho.com/magazine/series/s2/4314)。

―「連載15 ジュリー・オーツカ『天皇が神だったころ』『屋根裏の仏さま』いなくなった人びと、残された断片」

『美術手帖 ウェブ版』二〇一七年八月十一日 (https://bijutsutecho.com/magazine/series/s2/6501)。

―「連載16 サマセット・モーム『英国諜報員アシェンデン』ある男の虚栄心と涙」

『美術手帖 ウェブ版』二〇一七年十月十二日 (https://bijutsutecho.com/magazine/series/s2/7892)。

―『here and there bis』(私家版、百部限定)、二〇一八年(ユトレヒトでの「here and there bis Sofia's Circle」展にて展示販売、企画：林央子)。

―『When he hit the last note of raindrop it started to rain』(私家版)、二〇一八年。

―「ストレンジャー」『文藝』二〇一八年秋号、河出書房新社、三五〇―三九〇頁。

―「『私』のひろがり」『母の友』二〇一八年十月号、福音館書店、六―七頁。

―「持っていない言葉」『母の友』二〇一八年十一月号、福音館書店、六―七頁。

―「今のところ、仮の母語」『母の友』二〇一八年十二月号、福音館書店、六―七頁。

―「連載17 サマセット・モーム『人間の絆』呪縛と織物、鉄の扉」『美術手帖 ウェブ版』二〇一八年二月二十一日
(https://bijutsutecho.com/magazine/series/s2/11923)。

―「連載18『FINAL FANTASY X』『FINAL FANTASY XV』余地のある世界」『美術手帖 ウェブ版』二〇一八年五月十六日
(https://bijutsutecho.com/magazine/series/s2/15000)。

―「連載19 宇多田ヒカル『宇多田ヒカルの言葉』歌詞が見せる風景と新宿」『美術手帖 ウェブ版』二〇一八年七月十三日

(https://bijutsutecho.com/magazine/series/s2/18063)。

―「連載20　ミランダ・カーター『アントニー・ブラント伝』窓の向こうと森の向こう」『美術手帖　ウェブ版』二〇一八年十一月三十日（https://bijutsutecho.com/magazine/series/s2/18888）。

―「Chris, Josh & Me／クリスとジョシュと僕」（冒頭二段落は大城壮平による）、『VOSTOK』二号、CHIASMA、二〇一九年、二四八―二四九頁。

―「新しいアメリカの風景」『群像』二〇一九年十一月号、講談社、五三二―五三三頁。

―「いつか覚えた味」『疾駆／chic』二〇一九年第十一号、七八―八三頁。

―「インタビュー　ミヤギフトシ『「FF」は性的に曖昧な存在を描いた稀有なゲーム』沖縄出身の現代美術作家による青春小説」（文：辻本力）『サイゾーpremium』二〇一九年五月三十一日（https://www.premiumcyzo.com/modules/member/2019/05/post_9346/）。

―「コカコーラとバカルディのクバ・リブレ」（「はじめに」と「作者紹介」は、樋口朋子による）、『In Depth』GA（東京藝術大学大学院国際芸術創造研究科アートプロデュース専攻）、二〇一九年三月三十一日（http://ga.geidai.ac.jp/indepth/miyagi_futoshi/）。

―『ディスタント』河出書房新社、二〇一九年。

―『Out of Town』（私家版）、二〇二〇年。

―「SPECIAL INTERVIEW WITH ミヤギフトシ、井手健介」（取材・文：中村悠介）、『LIVERARY』二〇二〇年十月二十一日（https://liverary-mag.com/feature/85647.html）。

―「違和感を他者に伝えるために、パーソナルなセルフポートレイトが語るもの」（長島有里枝との対談、構成：IMA）、『IMA』オンライン、二〇二〇年十一月二十六日（https://imaonline.jp/articles/interview/20201126yurie-nagashima_futoshi-miyagi/#page-1）。

―「渋谷・映画・僕」『渋谷ミニシアター手帖二〇二〇』Bunkamura、二〇二〇年（https://www.bunkamura.co.jp/topics/cinema/images/img_2881/map_2020.pdf）。

―「連載21　ジュンパ・ラヒリ『べつの言葉で』『わたしのいるところ』変身の選択肢」『美術手帖　ウェブ版』二〇二〇年三月五日（https://bijutsutecho.com/magazine/series/s2/21409）。

―「幾夜」『すばる』二〇二一年六月号、集英社、三八―一二七頁。

―『時系列順に』（私家版）、二〇二一年。

―「写真を通した現代美術家のまなざし」（「流動するジェンダーの時代」関連記事第四弾「20 Photobooks Around Gender」）、

『IMA』オンライン二〇二一年秋／冬号、二〇二一年十一月二十五日（https://imaonline.jp/articles/archive/20211125futoshi-miyagi/）。

–「バンドのメンバー」『疾駆／chic ZINE First Issue Special Feature Youth』二〇二一年四月、三〇頁。

–「港から見る青い星」『アッセンブリッジ・ナゴヤ／Assembridge NAGOYA 2020』アッセンブリッジ・ナゴヤ実行委員会、二〇二一年三月、一〇〇―一〇一頁（https://assembridge.nagoya/2020/wp-content/themes/assembridge/pdf/AN2020_Document.pdf）。

–「見る猿、聞く猿、言う猿　Vol.6［前編］『第八次椿会　ツバキカイ8　このあたらしい世界』」（尾崎世界観との対談、文：上條桂子）、『花椿』二〇二一年八月十三日（https://hanatsubaki.shiseido.com/jp/threewisemonkeys/14118/）。

–「見る猿、聞く猿、言う猿　Vol.6［後編］『第八次椿会　ツバキカイ8　このあたらしい世界』」（尾崎世界観との対談、文：上條桂子）、『花椿』二〇二一年八月二十五日（https://hanatsubaki.shiseido.com/jp/threewisemonkeys/14259/）。

–「ミヤギフトシ　インタビュー」『第八次椿会　ツバキカイ8　このあたらしい世界　二〇二一　触発／Impetus』資生堂ギャラリー（映像：西野正将）、二〇二一年（https://www.youtube.com/watch?v=_HKAsS2AINQ&t=61s）。

–「見えなくなった風景」『Art Research Online』二〇二二年八月号（https://www.artresearchonline.com/issue-13d）。

–「距離と匂い」（シセル・トラースとの対談）、『第八次椿会　ツバキカイ8　オンライン対談』資生堂ギャラリー、二〇二二年（https://gallery.shiseido.com/jp/tsubaki-kai/#section_event）。

–「ミヤギフトシ　インタビュー」「第八次椿会　ツバキカイ8　このあたらしい世界　二〇二二　探求／Quest」資生堂ギャラリー（映像：西野正将）、二〇二二年（https://www.youtube.com/watch?v=_cZwh8H1EIg）。

–「連載22　乗代雄介『最高の任務』『旅する練習』ほか　ほころびの向こうへ」『美術手帖　ウェブ版』二〇二二年一月二十九日（https://bijutsutecho.com/magazine/insight/25110）。

展覧会カタログ

– *25 Under25: Up-and-Coming American Photographers Exhibition, Volume 2*, powerHouse Books, 2008.

– *BigMinis: Fétiches de crise*, CAPC (musée d'art contemporain), 2010.

–『VOCA展二〇一五：現代美術の展望――新しい平面の作家たち』上野の森美術館、二〇一五年。

–『他人の時間／Time of others』東京都現代美術館、二〇一五年。

–『日産アートアワード二〇一五 ファイナリスト七名による新作展』BankART Studio NYK、二〇一五年。

–『愛すべき世界／Our beloved world』丸亀市猪熊弦一郎現代美術館、二〇一五年。

–『東京と、タイムマシンと、』Yutaka Kikutake Gallery、二〇一六年。

–『六本木クロッシング二〇一六展：僕の身体、あなたの声』森美術館、二〇一六年。

–『あいちトリエンナーレ二〇一六：虹のキャラバンサライ』平凡社、二〇一六年。

–『蜘蛛の糸 クモがつむぐ美の系譜——江戸から現在まで』豊田市美術館、二〇一六年。

–『ヒックリコ ガックリコ ことばの生まれる場所』左右社、二〇一七年。

–『近くへの遠回り＝Going away closer: 日本・キューバ現代美術展帰国展』国際交流基金、二〇一八年。

–『小さいながらもたしかなこと 日本の新進作家 vol.15』東京都写真美術館、二〇一八年。

–『予兆の輪郭——トーキョーアーツアンドスペース レジデンス二〇一九 成果発表展——』（第二期）、トーキョーアーツアンドスペース、二〇一九年。

–『話しているのは誰？ 現代美術に潜む文学』美術出版社、二〇一九年。

–『ぎこちない会話への対応策——第三波フェミニズムの視点で』赤々舎、二〇二一年。

その他の文献

– Brian Boucher,"Futoshi Miyagi at Daniel Reich," *Art in America*, January, 2008.
– Dawn Chan,"CRITICS'PICKS: Futoshi Miyagi——Daniel Reich Gallery," *Artforum.com*, 2007/8/20 (https://www.artforum.com/picks/futoshi-miyagi-15601).
– Holland Cotter,"Art in Review: Futoshi Miyagi," *The New York Times*, vol.156, no.53, 780, E32, 2006/12/1.
– Phyllis Fong,"Introducing — FUTOSHI MIYAGI," *Modern Painters*, Louise Blouin Media, February, 2008, pp.58-60, 110.
– Darren Jorgensen,"risks with self and stranger," *RealTime* issue #92, Aug-Sept 2009, p.54, *RealTime* HP, 2009/8/1

(https://www.realtime.org.au/risks-with-self-and-stranger/).
- Sean Kennedy, "Photography by Futoshi Miyagi," *The First Ten Years NERVE*, NERVE.COM, 2008, pp. 230-235.
- Darin Klein, "When Fathers Fail," *artillery*, vol.1, no.2, November, 2006.
- mventura「六本木クロッシング二〇一六展：「花の名前」ミヤギフトシほか@森美術館」『日々帳』二〇一六年六月二十八日 (http://mventura.hatenablog.com/entry/2016/06/28/201021)。
- Satoko Shibahara「ミヤギフトシ インタビュー 現代美術家が小説で表現する、やさしい距離感。」『GINZA』二〇一九年五月二十七日 (https://ginzamag.com/interview/miyagifutoshi/)。
- Nancy Smith, "FUTOSHI MIYAGI / THE CACKTAIL PARTY," *artloversnewyork*, 2009/5/7 (http://www.artloversnewyork.com/zine/the-bomb/2009/05/07/futoshi-miyagithe-cocktail-party/).
- Guy Trebay, "Gay Art: A Movement, Or at Least A Moment," *The New York Times*, Sunday Styles, section 9, pp. 1-2, 2007/5/6.
- David Velasco, "Reviews: Futoshi Miyagi — Daniel Reich Gallery," *Artforum*, January, 2007.
- Joseph R. Wolin, "Reviews: When Fathers Fail," *Time Out New York*, vol.577, 2006/10/19-25.
- 浅田彰「アピチャッポンとミヤギ」『REALKYOTO』二〇一四年六月十三日 (http://realkyoto.jp/blog/apichatpong-miyagi/)。
- 浅沼敬子「あいちトリエンナーレ コラムプロジェクト『交わる水――邂逅する北海道／沖縄』」『北海道芸術論評』第九号、北海道芸術学会、二〇一七年三月十日、三五―四一頁。
- 荒木夏実「アーティスト×キュレーターによるセッション『六本木クロッシング二〇一六展』クロストーク Day2 をレポート」『森美術館公式ブログ』二〇一六年五月二十七日 (http://mori.art.museum/blog/2016/05/2016day-2.php)。
- 石内都・鈴木理策・ホンマタカシ・平野啓一郎「第四十四回木村伊兵衛写真賞 選考委員のことば」『アサヒカメラ』二〇一九年四月号別冊付録、朝日新聞出版、一八―二一頁。
- 上崎千「『蝟集』と被写界――『Japanese Nightingale Doesn't Sing At Night』展」『美術手帖』二〇一五年十月号、美術出版社、一九六―一九七頁。
- 大村優介「フィールドにおける不安に向き合い、取り入れる――ジョルジュ・ドゥブルーの民族精神医学、ミヤギフトシの小説『ストレンジャー』、ラオスでのフィールドワーク経験を手がかりに」『パハロス』第二号、二六―三六頁、二〇二一年九月三十日 (https://sites.google.com/view/efstudies/pajaros)。

– 大森克己「REVIEWS――西瓜の香り、あるいはボクの知らないオキナワ」『美術手帖』二〇一四年三月号、美術出版社、二七三頁。

– 岡澤浩太郎「同じ、かもしれない、という救い」『SHISEIDO 公式 HP「花椿」Now Then!』二〇一七年八月十日（http://hanatsubaki.shiseidogroup.jp/now/1935/）。

– 窪田直子「『自分の物語』でつむぐ平等、金沢21世紀美術館、二つのフェミニズム展、十九人の芸術家の『声』発信」『日本経済新聞』二〇二一年十二月十八日付（朝刊）、三六面。

– 倉本さおり「新人小説月評――しつこく感覚に問う作業」『文學界』二〇一八年九月号、文藝春秋、二八八頁。

– 倉本さおり「［デザインする文学］（五月）言葉で様変わりする認識　人の姿を緻密にスケッチ」『沖縄タイムス』二〇二一年六月十一日付（朝刊）、一九面。

– 黒木晃「私の Bunkamura ドゥマゴ文学賞　推薦書籍 No.11『ディスタント』ミヤギフトシ　河出書房新社」二〇一九年十二月（https://www.bunkamura.co.jp/bungaku/mybungakusho/article11.html）。

– 小木戸利光『表現と息をしている』而立書房、二〇一七年、四五―六三頁。

– 佐々木敦「〈時評文芸〉佐々木敦　文学界新人賞受賞作・沼田真佑『影裏』行間を読ませる　深みと広がり／ミヤギフトシ『アメリカの風景』初小説とは思えない文体と技巧」『北海道新聞』二〇一七年四月二十五日付（夕刊）、五面。

– 佐々木敦「文芸時評――ミヤギフトシ『アメリカの風景』村上春樹『騎士団長殺し』――」『東京新聞』電子版、二〇一七年四月二十七日付（http://www.tokyo-np.co.jp/article/culture/jihyou/CK2017042702000236.html）。

– 杉原環樹「柴田聡子が見た言葉をめぐる展覧会『ヒツクリコ　ガツクリコ』展」『CINRA.NET』二〇一七年十一月二十二日（https://www.cinra.net/interview/201711-shibatasatoko?path=%2Finterview%2F201711-shibatasatoko&page=3）。

– 住友文彦「キュレーターズノート――ミヤギフトシ『American Boyfriend: The Ocean View Resort』『New Message』」『artscape ウェブマガジン』二〇一四年一月十五日号（http://artscape.jp/report/curator/10095397_1634.html）。

– 住吉智恵「近くへの遠回り――日本・キューバ現代美術展：ハバナで開催」『をちこちウェブマガジン』二〇一八年六月号（https://www.wochikochi.jp/special/2018/06/going-away-closer.php）。

– 高橋咲子「『フェミニズム』展：フェミニズムの可能性問う　金沢21世紀美術館」『毎日新聞』二〇二一年十一月十八日付（東京夕刊）、四面。

―武田裕芸「［文芸月評］愛のあり方 独白と思索 迷いや戸惑い……それでも生きる」『読売新聞』二〇二一年五月二十五日付（東京朝刊）、一九面。

―田中和生「文芸時評：七月 強い喚起目立つ 現代日本語の底力」『読売新聞』二〇一八年七月二十五日付（東京夕刊）、四面。

―田中和生「文芸時評：五月『現代の奴隷制』過酷な『現実』の暴露」『毎日新聞』二〇二一年五月二十六日付（東京夕刊）、四面。

―千葉雅也「僕は、僕の口語を置き換えたりしない」『文學界』二〇一五年四月号、文藝春秋、五―七頁。

―都甲幸治「（書評）『ディスタント』ミヤギフトシ〈著〉」『朝日新聞』二〇一九年六月一日付（朝刊）、二四面。

―都甲幸治「都甲幸治 書評委員が選ぶ『今年の三点』」『朝日新聞』二〇一九年十二月二十八日付（朝刊）、二二面。

―永田晶子「ミヤギフトシさん：新作個展を開催中 東京・銀座のギャラリー小柳」『毎日新聞』二〇一七年七月二十六日付（東京夕刊）、六面。

―中村史子「不安と期待。中村史子評『小さいながらもたしかなこと 日本の新進作家 vol.15』」『美術手帖』二〇一九年一月二十九日（https://bijutsutecho.com/magazine/review/19238）。

―原知慶「作曲家、阿部海太郎のおすすめ写真集三選」『IMA』オンライン、二〇二二年十二月一日（https://imaonline.jp/articles/bookreview/20221201umitaro-abe/#page-1）。

―比嘉良治「多彩な空間を表現 フトシ・宮城個展 世界も注目」『琉球新報』二〇〇九年七月十三日付、一八面。

―藤田一人「赤い糸が綴る人間の絆の物語――ミヤギフトシ」『毛糸だま』二〇一七春号、七三頁。

―星野太「アーティスト・インタビュー3 ミヤギフトシ」『美術手帖』二〇一七年十一月号、美術出版社、四〇―四五頁。

―松永大地「artscape レビュー――ミヤギフトシ「American Boyfriend: Bodies of Water」」『artscape ウェブマガジン』二〇一四年七月十五日号（http://artscape.jp/report/review/10101045_1735.html）。

―丸山ひかり「ひそかな声に思いはせ『六本木クロッシング二〇一六展』」『朝日新聞』二〇一六年四月五日付（夕刊）、五面。

―宮越裕生「ミヤギフトシ“American Boyfriend”関連トークイベント：戦争を想像する」『Red Bull アート&デザイン』、二〇一四年三月二十八日（https://www.redbull.com/jp-ja/art-blog-yu-miyakoshi-140328）。

―宮越裕生「ミヤギフトシ American Boyfriend: Bodies of Water」『Red Bull アート&デザイン』二〇一四年六月二十三日（https://www.redbull.com/jp-ja/art-blog-yu-miyakoshi-140620）。

―村上陽子「時評二〇一八／文芸／〈自分〉とは 答え探す 竹本真雄『燚風』、ミヤギフトシ『ストレンジャー』」

『琉球新報』二〇一八年七月二十七日付、九面。

－山木悠「ミヤギフトシ」『CURIOSITY 2』二〇一七年、一二四－一二九頁。

－筆者不詳「ダニエル・ライク・ギャラリー」『Harper's BAZAAR 日本版』二〇〇七年十月号別冊付録、四〇頁。

－筆者不詳「ミヤギさん 木村賞候補／優れた写真発表」『沖縄タイムス』二〇一九年二月八日付（朝刊）、二九面。

－筆者不詳「登場人物 時空を越え交差 ミヤギフトシ 故郷で初個展」『沖縄タイムス』二〇二一年二月十二日付（朝刊）、一七面。

編者・執筆者について

浅沼敬子［あさぬまけいこ］

一九七五年生まれ。現在、北海道大学准教授。専攻は、現代美術、写真・映像史。主な著書に、『循環する世界 山城知佳子の芸術』（編著、ユミコチバアソシエイツ、二〇一六年）がある。

星野太［ほしのふとし］

一九八三年生まれ。現在、東京大学大学院総合文化研究科准教授。専攻は、美学、表象文化論。主な著書に、『美学のプラクティス』（水声社、二〇二一年）、『崇高のリミナリティ』（フィルムアート社、二〇二二年）などが、主な訳書に、ジャン＝フランソワ・リオタール『崇高の分析論——カント『判断力批判』についての講義録』（法政大学出版局、二〇二〇年）などがある。

岩川ありさ［いわかわありさ］

一九八〇年生まれ。現在、早稲田大学文学学術院准教授。専攻は、現代日本文学、クィア・スタディーズ、フェミニズム、トラウマ研究。主な著書に、『物語とトラウマ——クィア・フェミニズム批評の可能性』（青土社、二〇二二年）がある。

シュテファン・ヴューラー［Stefan Wuerrer］

現在、武蔵大学助教。専攻は、フェミニズム・クィア批評、日本文学、表象文化論。主な著書に、『読むことのクィア 続・愛の技法』（共著、中央大学人文科学研究所、二〇一九年）などがある。

ミヤギフトシ

一九八一年生まれ。美術家、小説家。主な著書に、『ディスタント』（河出書房新社、二〇一九年）が、近年の個展に、「American Boyfriend: Portraits and Banners」（void+, Yutaka Kikutake Gallery、二〇二二年）などがある。

装丁——木村稔将

ミヤギフトシ　物語を紡ぐ

二〇二三年三月一五日第一版第一刷印刷
二〇二三年三月二五日第一版第一刷発行

編者：浅沼敬子

発行者：鈴木宏
発行所：株式会社水声社
東京都文京区小石川二―七―五　郵便番号一一二―〇〇〇二
電話：〇三―三八一八―六〇四〇
FAX：〇三―三八一八―二四三七
［編集部］
横浜市港北区新吉田東一―七七―一七　郵便番号二二三―〇〇五八
電話：〇四五―七一七―五三五六
FAX：〇四五―七一七―五三五七
郵便振替〇〇一八〇―四―六五四一〇〇
URL：http://www.suiseisha.net

印刷・製本：精興社

ISBN978-4-8010-0693-5